KB103147

가끔 그리워지는 그 시절 이야기

범말 사람들

조승훈 단편소설

202

발　행 | 2024년 3월 4일
저　자 | 조승훈
펴낸이 | 한건희
펴낸곳 | 주식회사 부크크
출판사등록 | 2014.07.15.(제2014-16호)
주　소 | 서울특별시 금천구 가산디지털1로 119 SK트윈타워 A동 305호
전　화 | 1670-8316
이메일 | info@bookk.co.kr

ISBN | 979-11-410-7478-4

www.bookk.co.kr

가끔 그리워지는 그 시절 이야기

범말 사람들

조승훈 단편소설

【차례】

【 머리말 - 서재 】

사람은 저 마다 기억이 있다.

어떤 기억은 슬프고

어떤 기억은 행복하지만

결국 모든 기억은 그리움이다.

어른이 된 다는 것은 기억의 서재가 생기는 것

오늘 서재에서 그 한권을 꺼내 펼쳤다.

세 번째 인생 / 조승훈

범말 사람들

범말은 아주 먼 옛날 범들이 내려와 살던 마을이라고 해서 붙여진 이름이다.

사람과 짐승이 공존하던 시대.

처음은 함께할 수 있었을지 모르지만 인간이 마을에 들어오면서부터 이미 싸움은 예견된 일이었다.

모든 게 작은 오해로부터 시작되었겠지만, 어느 때부터 오해가 확신으로 바뀌며 범과 사람의 싸움은 점점 격렬해졌으리라. 결국 자리를 차지한 쪽은 더 거칠고 억세며 영악한 존재들이었고 그것이 지금 우리의 모습이다.

하지만 싸움은 끝나지 않은 듯하다. 시대가 변하고 모습이 변했을 뿐 세상은 여전히 치열함의 연속이다.

범말. 이곳은 내가 태어난 곳이다. 그러나 지금의 범말은 거창한 전설과 달리 범은커녕 삵도 보기 힘들 뿐더러 드문드문 떨어진 집들까지 모두 합쳐야 열한가구 밖에 되지 않는 작은 동네이다.

그 중에서 우리 집은 동네 첫 집이다. 집 앞에는 어른 품으로 두 아름이나 되는 오래된 은행나무가 있다. 100년도 넘은 고목인데 가을이면 가지가 찢어질 만큼 은행이 많이 열렸다. 그래서 우리 집을 인근에서는 은행나무 집이라고도 불렀다.

우리 집 마루에서 앞을 내다보면 평야처럼 쫙 펼쳐진 논과 밭이 한눈에 들어왔다. 가을이면 노오란 벼 이삭이 바람에 일렁이며 장관을 이뤘다. 그 가운데로 큰 길을 따라 300미터가량 걸어 들어오면 처음 마주하는 집이다.

빨간 슬레이트 지붕에 동네잔치도 할 수 있을 만큼 마당이 넓었다. 집 둘레는 돌담이지만 대문은 없었다.

아버지께서 대문 입구 쪽에 우물 펌프를 설치하신 후 문을 떼어내셨다. 수도가 없던 시절이라 오가는 사람들 목이라도 축이라고 달지 않았다. 당시 동네 사람들은 뒷산 약수터에서 내려오는 공동 우물을 길어다 마셨다.

나는 은행나무 집 3대 독자 외아들로 태어났다. 우리 동네뿐만 아니라 조금 떨어진 이웃 마을까지도 귀하게 얻은 자식이라고 소문이 나서 태어나면서부터 대가(大家) 집 대우를 받았다.

우리 집을 중심으로 오른편에는 소라네 집이 있고, 그 옆으로 한 마당을 쓰는 경중이 형네와 용이 삼촌 집이 있었다. 뒤로는 금실이 누나와 태호네 집이 있었으며, 그 너머로 갈수록 꽃순이네가 사는 욕골과 맨 윗동네 텃골이 있었다. 개중에 뚝 떨어져 도깨비가 나온다는 외딴집이 있었고 이 전체가 모여 마을을 이뤘다.

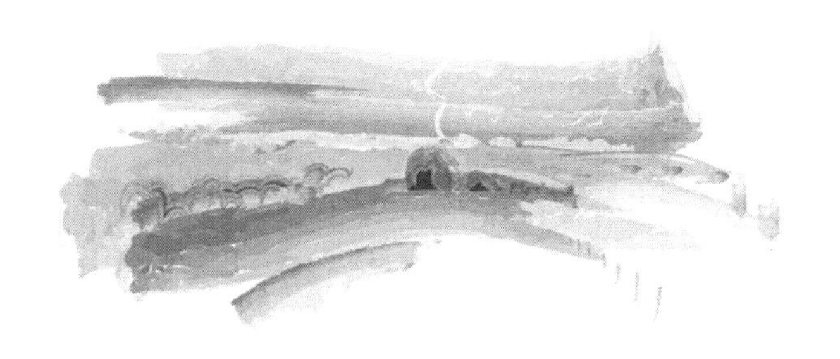

도깨비 터

꽃순이 아빠가 죽었다.

'워남 외딴집' 앞에서 발견됐다. 꽃순이 밑으로 어린 동생이 둘이나 더 있는데 여덟 살짜리가 가장이 되었다.

아무것도 모르는 꽃순이가 아침 일찍 동생들을 데리고 윗동네에서 내려왔다.

"아침부터 웬일이고?"

어머니가 아무런 내색 하지 않고 물었다.

"아빠가 어젯밤에 안 오셨어요?"

쌀랑한 기온에 애들이 오들오들 떨면서 말했다.

"걱정돼서 내려왔구나?"

"네~에"

다섯 살배기 쌍둥이가 동시에 대답했다.

"에구, 기특한 것들. 걱정 안 해도 된다. 어제 아저씨들이랑 산일하러 가서 거기 있다."

"정말요?"

꽃순이가 걱정스러운지 확인하듯 물었다.

"그럼 그럼, 이따 오실 게다."

"밥은 먹었니?"

"아니요."

"어이구, 배고프것다. 이리 와서 오빠랑 같이 밥 먹어라."

어머니가 꽃순이와 동생들을 데려와 방에 앉혔다. 마루에 있던 아주머니들이 그 모습을 보고 연신 눈물을 훔쳤다.

꽃순이 아빠는 월남전 참전 용사이다. 전쟁 후유증으로 한동안 아팠지만 꽃순이 엄마와 결혼한 후 건강이 회복되었다. 삼밭에서 일하는데 성실하고 책임감이 강해서 오야지를 대신하고 있었다.

방 하나에 다섯 식구가 살지만, 아이들 얼굴은 항상 밝았다. 아빠가 삼밭 일을 끝내고 올 때쯤이면 삼 남매가 매일 동네 입구까지 내려와 기다렸다. 엿이라도 사 오는 날이면 신이 나서 펄쩍펄쩍 뛰는 모습이 우리 집에서도 잘 보였다.

꽃순이 아빠는 고아로 자라서 가족에 대한 사랑이 각별했다. 그런데 꽃순이 엄마가 1년 전 뇌염에 걸려 갑자기 돌아가셨다. 그래서 한동안 술만 마셨는데….

동네 아저씨가 발견했을 때 꽃순이 아빠는 '워남 집' 앞마당에 쓰러진 채 엿 봉지를 꼭 쥐고 있었다고 한다.

다시 삼밭 일을 나가기로 약속하고 오는 길이었다.

죽음에 원인은 아직 모르지만 싸움에서 질 사람도 아닌데 갑자기 그런 일을 당해서 모두가 놀라면서도 애통해했다.

어른들 말로는 '도깨비짓'이라고 했다.

워남 집은 예전부터 도깨비 터로 유명한 곳이다. 평소에도 그곳은 사람들이 다니기를 꺼렸다. 특히, 해 질 무렵이나 비 오는 날엔 아예 그곳을 피해서 빙 돌아 먼 길로 다녔다. 어지간히 급하거나 담이 세지 않고선 밤에는 가지 않는 길인데 무슨 일이 있었던 걸까.

이런 일이 처음은 아니다. 워남 집 근처에서 크고 작은 일들이 여러 번 있었지만, 사람이 죽은 것은 세 번째이다. 오래전 일이지만 처음은 목수 할아버지였다. 그 집을 지은 사람이다. 다음으로는 워남 집 할머니인데 집 옆 큰 소나무에 목을 매 죽었다. 나는 지금도 큰 소나무 앞을 지날 때면 등골이 오싹하다.

워남 집이 있는 도깨비 터는 우리 집에서 왼쪽으로 산모퉁이를 두 번 돌아 기차역으로 가는 길에 있다. 대

략 3리 쯤 떨어진 곳인데 산이 깎이듯이 움푹 들어간 지형이다. 옛날에는 빈터였다는데 지금은 아주 멋진 한옥이 지어져 있다. 다만 현재는 사람이 살지 않아 빈집으로 남아있다. 그러나 어디 한 곳 부서지거나 무너진 곳 없이 아주 멀쩡하다.

꽃순이 아빠가 변을 당한 곳이 바로 여기였다. 길가에 담도 없고, 대문도 없이 집만 덩그러니 있는데 집 앞이 길이고 마당인 셈이다.

지금의 도깨비 터를 찾아 낸 사람은 우리 증조할아버지셨다고 한다. 나는 할머니로부터 이야기를 들었기 때문에 자세히 알고 있다.

아주 오래전 증조할아버지가 동네로 이사 왔을 때였다. 도깨비 터가 있다는 얘기가 소문으로 전해지고 있었지만 그곳이 어딘지는 정확히 알지 못했다. 그래서 증조할아버지가 한번 찾아보기로 마음먹었다.

증조할아버지는 8척 장신에 기골이 장대했다. 담력도 세고 힘도 장사여서 담을 넘는 호랑이 뒷다리를 한 손으로 잡았을 정도였다고 한다. 워낙 겁도 없고 대범한

분이라 웬만한 일에는 눈 하나 껌뻑하지 않았다.

그러던 어느 날이었다. 한약재를 팔고 밤늦게 돌아오다가 동네 인근 산모퉁이에서 이상한 일을 겪었다.

마을 어귀에 다다라 잠시 앉아 쉬었을 때였다. 곰방대를 꺼내 담뱃불을 붙이는 데 자꾸만 댕겨지지 않았다. 할아버지는 구멍이 막혔나 싶어 곰방대를 바위에 '탁탁' 쳤더니 곰방대 목이 똑 부러지면서 바람이 '휙' 일었다.

"이런 담배 피우기는 글렀네!"

하며 봇짐을 메고 다시 일어서는데 갑자기 뒤에서 누군가 확 잡아당긴 듯 벌렁 넘어졌다. 뭔가 싶어 뒤돌아봐도 아무것도 없었다. 왠지 꺼림칙하여 얼른 벗어나려고 일어서자 순식간에 안개가 자욱이 끼었다. 한 치 앞도 보이지 않았다. 어디가 길이고 산인지 구분이 안 될 지경인데 멀리서 희미한 불빛이 보였다. 처음에는 사람이 오는 줄 알고 빛을 쫓아 앞으로 갔는데 아무리 걸어도 가까워지지 않았다.

그 순간 '내가 뭐에 홀렸구나!'하는 생각이 들었다. 증조할아버지는 자기 얼굴을 두어 번 찰싹 때리며 정신을 바싹 차렸다. 그랬더니 불빛은 사라지고 어느새 처음 있던 자리로 되돌아와 있었다. 어지간한 사람 같으면 혼비백산하여 기절했을지도 모르지만 얼마나 담이 센지 끄떡하지 않고 집으로 걸음을 재촉했다. 그런데 이번에는 느닷없이 비가 억수로 쏟아졌다. 피할 겨를도 없었다. 하는 수 없이 온몸에 비를 흠뻑 맞으며 앞만 보고 정신없이 뛰었다. 바로 그때 누군가 뒤에서 따라오는 소리가 들렸다.

"처벅"

"처벅"

"처벅"

"처벅"

순간 온몸에 소름이 쫙 끼치고 머리카락이 곤두섰다.

더는 안 되겠다싶어 '걸음아 나 살려라.' 하고 냅다 달렸더니 금세 집 앞에 이르렀다.

증조할머니가 헐레벌떡이며 들어오는 할아버지를 보고 무슨 일이냐고 물었다.

"갑자기 비가 와서 정신없이 달려오는 길이여."

"옷이 다 젖었어."

하지만 신기한 것은 비는커녕 은하수가 보일 만큼 밤하늘이 맑았다. 더구나 옷에는 비 한 방울 묻어있지 않았다. 다만 온몸이 땀범벅인 채 바지며 신발이며 진흙투성이였다.

아주 오래전 이야기인데도 나는 들을 때마다 무서워서 이불을 폭 뒤집어쓰고 할머니 옆에 착 달라붙는다.

"증조할아버지는 어떻게 됐는데?"

나는 이불 속에서 얼굴만 빼꼼 내밀어 다시 물었다.

"증조할아버지는 다음날 그곳에 다시 가보았지."

걸터앉은 바위 밑에는 부러진 곰방대가 거꾸로 꽂혀있었고, 불빛을 보고 걸었던 길은 길이 아니라 글쎄 논이었다. 얼마나 헤집고 다녔는지 벼는 사방으로 밟혀있고 논은 엉망진창이었다.

증조할아버지가 속으로 '어찌 이 지경까지 되었는데 어젯밤은 몰랐을까?' 싶을 때 문득 생각이 스쳤다.

'이곳이구나! 도깨비 터가!'

워낙 평범해서 무심코 지나쳤던 곳인데, 설마 이런

곳인 줄은 예상치 못했다.

그날 밤 증조할아버지는 소똥을 바른 빈 가마니 두 개와 무쇠 칼 두 자루를 허리에 차고 다시 그곳으로 향했다.

'내 눈으로 직접 확인해 봐야지!'

겁도 없이 어젯밤 앉았던 바위 옆에 가마니 한 장을 깔고 누운 뒤 다른 한 장으로는 몸을 덮고 숨었다.

'이놈들 한판 붙어보자!'

'어제는 방비도 없어 놀랐지만, 오늘은 다를 것이여!'

속으로 되뇌며 도깨비가 나타나기를 기다렸다.

도깨비가 무서워하는 것은 무쇠가 부딪치는 소리라고 한다. 그래서 무쇠 칼을 부딪치며 휘두르면 도깨비를 물리칠 수 있다고 했다. 소똥을 가마니에 바른 이유도 사람 냄새를 숨기기 위함이다. 소똥 바른 가마니를 두르거나 뒤집어쓰고 있으면 도깨비가 착각해서 사람을 찾지 못 한다고 한다.

증조할아버지는 만반의 준비를 하고 도깨비가 나타나기만을 밤새 기다렸다. 그러나 정작 아무런 일도 일어나지 않았다. 무슨 이유에선지 며칠 동안 밤마다 그

짓을 해도 어떤 낌새도 없었다.

증조할아버지는 혹시 그날 겪은 일이 술 한 잔 마신 탓에 '헛것을 본 것인가?'하는 생각마저 들었다.

그러던 어느 날, 비가 부슬부슬 내려서 그만 포기하고 집으로 가려는데 무슨 소리가 언 듯 들렸다.

가마니 속에서 옴짝달싹 않고 가만히 듣자니

"턱턱턱턱"

도끼로 나무 찍는 소리

"투루룩 촤, 투루룩 촤"

두레박으로 물 긷는 소리

"바스락 바스락"

가랑잎 밟는 소리

"히히히"

웃는 소리

"쿵덕 쿵덕"

떡을 치는 소리

"둥둥둥둥"

북치는 소리 등 한바탕 잔치가 벌어진 듯 별의별 소

리가 다 들렸다.

증조할아버지는 가마니를 살짝 들어 밖을 보았다. 기이한 광경이 눈앞에 펼쳐졌다. 형체는 뚜렷하게 보이지 않았지만 어둠보다도 더 짙은 그림자들이 사방에서 나타나 춤추듯 날뛰었다. 또 푸른빛을 띠는 것이 빙글빙글 돌기도 하며 사라지기를 반복하였다.

막상 도깨비를 보고나니 증조할아버지도 덜컹 겁이 났다. 그래서 꼼짝 않고 동틀 때까지 기다렸다가 도깨비들이 사라진 후 그 자리에 얼른 나무 막대를 꽂았다.

"찾았다. 이곳이다!"

도깨비 터를 찾고 내심 기분이 좋아진 증조할아버지는 그 땅을 사야겠다고 마음먹었다. 그러고는 열심히 약재상을 하며 돈을 모았다. 가끔은 숨어서 도깨비를 염탐했는데 자주 볼 수는 없었다. 매일 나타나는 것도 아니었기에 어느 날 어느 때 나타나는지 때를 맞추기가 쉽지 않았다.

그런데 몇 년이 지나 난감한 일이 벌어졌다. 도깨비가 나타난 곳이 처음 말뚝을 박아놓은 장소와 다른 것이다. 자세히 보니 자리를 옮기며 나타나고 있었다.

할머니 말씀이 도깨비 터를 잡아 집을 짓고 3년을 버티고 살면 부자가 된다고 했다. 대신 집터를 잘 못 잡으면 사람이 죽거나 정신이 나가고, 터를 잘 잡아도 욕심을 내서 3년을 넘게 살면 패가망신한다고 했다.

증조할아버지는 난감했다. 도깨비 터를 정확히 잡지 못하고 집을 지으면 오히려 해를 입기 때문에 조심스러웠다.

이런 상황에서 집을 지으려면 도깨비가 사라진 곳에 하루 만에 지어야 한다. 적어도 주춧돌을 세우고 안방 위치를 잡아 대들보까지는 올려야 했다. 그래야만 도깨비를 집터에 가두어 빠져나가지 못하게 할 수 있기 때문이다. 그렇게 할 수 없다면 다음에 나타날 곳을 예측하여 집을 지어야 한다.

아무리 생각해보아도 너무 무모해 보였다. 만반의 준비를 해놓고 요행히 따른다면 할 수야 있겠지만 그것은 어디까지나 객기에 지나지 않았다.

동네 사람들은 증조할아버지의 기이한 행동에 처음

에는 이상한 사람으로 여겼는데 나중에 겪은 일을 들려주자 비로소 오해를 풀었다고 한다. 그리고 얼마 지나지 않아 도깨비 터를 찾았다는 소문은 삽시간에 퍼져 이웃 마을까지도 알려졌다. 그러자 그 땅을 사려는 사람들이 나타났다.

하지만 증조할아버지는 이미 그 터를 사려는 마음을 내려놓았다. 혹여 부자 될 욕심에 도깨비 터를 잘 못 잡아서 오히려 자손에게 큰 해가 미칠까 염려되었기 때문이다. 대신 지난 몇 년간 도깨비 터를 사려고 열심히 준비한 덕분에 재산도 제법 모였기에 이후론 도깨비 터에 일절 관심을 두지 않았다. 결국 도깨비 터를 사려고 열심히 산 것이 제법 살만하게 만들었으니 어쩌면 이것도 도깨비 덕을 본 게 아니냐고 말했다고 한다.

하지만 다른 사람들 마음은 달랐던 모양이다. 도깨비 터가 여러 사람 입에 오르내리면서 욕심이 생긴 모양이었다. 몇몇이 그 땅을 사려고 산 주인을 찾아간 것이다.

땅 주인은 다른 마을에 살고 있었는데 나중에 내막을 알고는 땅값을 터무니없이 높게 불러서 사려는 사람들의 마음을 단념 시켰다. 그리고는 자신이 도깨비 터를 사용하려고 땅을 파서 고르며 널찍하게 넓혔다. 심지어 일꾼들을 시켜서 그 터에 깊이 박혀있던 커다란 바위도 캐내어 부수었다.

이때까지만 해도 모든 게 순조로웠다. 문제는 터를 다지고 얼마 지나지 않아 예기치 않은 일들이 발생했다. 크게 해코지가 없던 마을에 사고가 나서 사람들이 다치거나 몹쓸 병에 걸려죽었다. 때로는 갑작스럽게 집에 불이나기도 했다. 심지어 땅 주인은 장마 때 물고랑을 내러 논에 갔다가 물살에 휩쓸려 그만 죽고 말았다.

이 뿐만이 아니다. 늦은 밤이나 궂은 날에 그 앞을 지나다 헛것을 보고 놀라는 일이 심심찮게 일어났다.

한번은 외지 사람들이 상가 집을 왔다가 밤늦게 돌아가는 길이었다. 어디쯤인가 도착해서 보니 한 사람이 보이지 않는 것이다. 길을 잃었나 싶어 되짚어 가보니 도깨비 터 뒷산 가시덩굴 속에서 온몸이 긁히고 넋이 나간 채 엉켜 있었다고 했다. 무엇에 얼마나 놀랐는지 처음에는 일행을 알아보지도 못했다고 한다.

이후로 도깨비 터는 흉한 곳으로 여겨졌다. 그리고 오랜 시간이 지난 뒤, 외지 사람에게 팔렸다. 대목장으로 이름을 날렸던 목수 할아버지였는데 큰 절도 짓고, 돈도 많이 벌어서 엄청 부자였다.

목수 할아버지는 그 땅을 사서 집을 지었다. 도깨비 터를 정확히 잡는다며 풍수장이와 용하다는 무당을 데려와 굿도 하고 터를 달랬다.

대목장답게 손수 대패질과 먹줄을 튀기며 하나하나 꼼꼼하게 직접 챙겼다. 한참 만에 완성된 집은 크지는 않았지만 누가 보아도 감탄할 만큼 멋지고 근사했다. 순수 한옥으로 못하나 박지 않고 완성된 기와집인데 처마 밑은 사신을 조각해서 받들게 했다.

ㄱ자 형태로 방 세 칸에 부엌이 달렸고 울타리나 담은 없었다. 사람들이 다니는 길가 옆이라 마당이 길이고, 마루가 곧 쉬어가는 평상이 되었다.

집 이름도 지었다. '누구나 원하는 집'이라고 해서 '원함 집'이라고 지었는데 발음상 '워남'이 되어서 사람들은 '워남 집'이라고 불렀다.

독특한 것은 한옥인데도 불구하고 방 한 칸을 위아래로 나누어 다락방을 만들었다. 마루 옆방인데 다락 창문이 들녘을 향하지 않고 오히려 마루 쪽으로 열렸다.

도깨비 터에 집이 생기고 나서 사람들은 마음 편히 다닐 수 있었다. 산기슭만 따라 한참을 오다가 만나는 첫 집이기에 반가운 집이었다. 늦은 밤 무서우면 들어가 쉴 수도 있고, 모두가 아는 동네 사람이다 보니 더할 나위 없이 편한 곳이었다. 방을 여러 개 만든 이유도 오가는 사람들이 쉬어 갈 수 있게 하려는 배려였다. 가령, 외지 사람들이 오다가다 하룻밤 묵을 수도 있었다.

그러나 사람들의 바람과 달리 편안함과 즐거움은 오래가지 못했다. 바로 도깨비 터였기 때문이다.

워남 집이 들어서고 1년쯤 되었을 때 목수 할아버지가 이상해졌다. 할머니가 밥을 해서 내오면 금세 어디 갔는지 사라지곤 했다. 한참을 불러도 오지 않아서 찾아가 보면 다락방에 앉아 혼자 중얼거리고 있었다. 할머니가 뭐 하고 있냐고 하면 그제야 '왜 여기 있지' 하며 정신을 차리곤 했다. 매번 끼니때마다 그러다 보니 나중에는 할머니가 밥상을 차려 아예 다락방으로 날랐다. 그러면 혼자 밥을 먹으면서도 마치 누구랑 얘기하는 것처럼 보였다고 한다.

목수 할아버지의 이상 행동은 날이 갈수록 심해졌다. 사람들이 마루에 앉아 있으면 갑자기 다락문을 확 열어서 놀라게 했고, 보는 사람마다 숨바꼭질하자며 신발을 숨기곤 했다. 꼭 어린아이처럼 변해버렸다.

무당을 불러 굿을 하고, 좋은 약을 먹어도 아무 소용이 없었다. 그러다가 얼마 후 시름시름 앓다가 돌아가셨다.

목수 할아버지가 돌아가시고 홀로 남겨진 할머니는 밤마다 마당 앞길에서 북소리가 들리고, 누군가 다락문을 열고 닫는 소리가 난다며 무서워서 못 살겠다고 말했다.

할머니는 누가 좀 들어와 같이 살았으면 좋겠다며 동네 사람들에게 부탁했지만 아무리 형편이 어려워도 워남 집에서 함께 살려는 사람은 없었다.

집이 아무리 좋아도 저마다 모르는 무서움이 자리잡고 있었다. 그래서인지 워남 집은 밤에도 항상 불을 끄지 않았고 사람들이 들리면 자고 가라며 붙잡았다.

그렇게 혼자 지내던 할머니는 2년도 되지 않아 집 근처 큰 소나무에 목을 매고 자살했다. 이 일이 있고 난 뒤 사람들은 워남 집 근처로 다니기를 더욱 꺼렸다.

빈집으로 방치된 이후 그곳을 지날 때면 무리 지어 가거나 밝은 낮에만 다녔다. 날이 저물면 멀더라도 다른 길을 택했다. 학교와 기차역을 가기 위해서는 가장 빠른 지름길이었는데 또 다시 무서운 길이 되었다.

모든 이야기를 알고 있는 나는 그곳을 지나기가 몹시 싫었다. 하지만 늦잠이라도 자는 날이면 학교를 빨리 가야 했기에 어쩔 수 없이 가끔 지나곤 했다.

친구들이나 동네 형들과 함께 갈 때는 괜찮지만 혼자 갈 때는 낮에도 겁이 났다.

나는 워남 집 앞을 지날 때면 매번 눈을 감고 전력질주를 했다. 50미터가량 숨이 차게 뛰었다. 그래야만 빨리 벗어날 수 있었다.

몇 번은 무서운 경험을 했는데 아직도 생생하게 기억한다. '재발작' 소리라는 것이다. 발걸음 소리가 뒤에서 들리는 것인데 누군가 꼭 따라오는 것처럼 느껴진다. 비 오는 날은 더욱 심했다. 걸을 때마다 '처벅' '처벅' '처벅' '처벅' 따라서 온다. 달려도 소용없다. 무서워서 휙 뒤돌아보면 아무것도 없는데 걷기만 하면 들린다. 어떨 때는 아예 뒤를 보면서 걷기도 했는데 가끔 넘어지기도 했다.

집에 와서 어머니에게 말했더니 어떤 소리가 들려도 절대 뒤돌아보지 말라고 했다. 또 흐린 날에는 낮에도 다니지 말라고 당부하며 아주 작은 주머니가 달린 목걸이를 걸어주었다. 나는 주머니 속에 뭐가 들어있는지 궁금했지만 절대로 풀어보지 말라고 해서 꾹꾹 참았다.

'주머니 속에는 뭐가 들어있었을까?'

항상 궁금했는데 언제 어디서 잃어버렸는지 어느 순간 없어졌다.

우리 동네 사람들에게 도깨비 터는 그리 좋은 기억이 없다. 그런데 또 불행한 일이 일어난 것이다.

꽃순이 아버지가 돌아가시고 얼마 후 동네 사람들이 모여서 '워남 집' 처리에 대한 회의를 했다.

"언제까지 저리 두고 있을 거요?"

"당장이라도 때려 부숩시다."

"그럽시다. 그럽시다."

"주인도 없는데 하루라도 빨리 없애는 게 좋지!"

"그럽시다. 그래요!"

"누가 할꺼요?"

"……."

"다 같이 합시다."

"……."

"그러지 말고 외지 사람한테 맡기면 어떨까요?"

"그거 좋네요."

"그럽시다! 그럽시다!"

금방이라도 없어질 것 같았던 워남 집은 아직 그대로 있다. 외지 사람들에게 부탁해도 소문이 났는지 철거하려는 이가 아무도 없었다. 그렇게 오랫동안 비워진 외딴 집은 이제 도깨비 집이 되었다. 그리고 여전히 그곳에서는 밤마다 도깨비 잔치가 열린다.

범말사람들

금실이 누나

금실이 누나네 집은 동네 구판장을 한다.

마을 전체를 통틀어 하나뿐이다. 우리 동네뿐만 아니라 옆 동네 사람들까지 와서 물건을 사간다.

처음에는 우리 집에서 시작했는데 내가 과자를 매일 빼먹어서 엄마가 누나네 집으로 옮겨버렸다.

하지만 나는 하루에도 몇 번씩 금실이 누나네 집에 간다. 구판장에서 물건을 파는 것은 누나이고 나는 조수이다. 누나는 셈을 할 줄 모른다. 글도 읽을 줄 모르고 쓸 줄도 모른다. 말도 어눌해서 몇 번을 들어야만 알아들을 수 있다. 그래서 내가 도와주러 가는데 나도 셈을 할 줄 모른다. 몇 년 후면 동네 형들처럼 학교에 가고 글도 배우겠지만 지금은 누나와 똑같다. 그래도 금실이 누나는 내가 있는 것이 좋다고 한다.

누나와 나는 기억력이 좋다. 누가 무엇을 사 갔는지 외상 했는지를 기억했다가 저녁에 누나네 엄마가 오면 빼놓지 않고 말해준다.

"태흐으네가 미까루 하냐"

"아! 태호네 밀가루 하나?"

"어"

"구시버"

"아! 구십 원?"

"어"

누나랑 이야기할 때면 잘 듣고 꼭 다시 물어봐야 한다. 그 점에서 나는 누나 말을 가장 잘 알아듣는 사람이다. 또한 구판장 물건을 정리할 때는 항상 같은 자리에 놓아야 했다. 그래야 헷갈리지 않고 한 눈에 알 수 있었다.

우리는 선반에 놓인 물건이 다 팔려도 새롭게 채워 넣지 않았다. 누나네 엄마가 오면 얼마나 팔렸는지 알기 쉽게 하기 위함이었다. 그래서 때로는 물건이 있어도 선반에 없으면 팔지 못했다.

금실이 누나와 나는 손님이 없을 때 동전 굴리기를 한다. 마루에 배를 대고 엎드려 동전을 문지방 가까이 보내는 사람이 이기는 거다. 내가 이기면 과자를 먹고, 누나가 이기면 내가 해달라는 것을 해주기로 했다. 이기든 지든 나는 무조건 과자를 먹을 수 있는 작전인데 누나도 좋다고 했다.

어떤 날은 손님이 한 명도 오지 않아서 하루 종일 동전 굴리기만 한다. 그러나 매번 마루 틈으로 동전이 빠져서 꺼내지를 못했다. 그럴 때면 누나가 차고 있는 전대는 점점 가벼워졌다.

나하고 금실이 누나는 장사를 잘하기 위해서 궁리도 했다. 큰 달력 뒷면에 물건 가져간 사람을 표시했다. 숫자와 글은 몰라도 외상으로 무엇을 가져갔는지 그림으로 그렸다. 예를 들면 이런 식이다.

우리 집은 내 얼굴로 그렸다. 동그랗고 쪼끄만 얼굴에 머리카락을 삐죽삐죽 몇 가닥 그린다. 내가 제일 좋아하는 과자는 '딱따구리'인데 별 모양처럼 생겼다. 딱따구리 한 봉지를 먹으면 내 얼굴 옆에 별을 하나 그렸다. 별을 그렸다는 말은 외상이라는 뜻이다. 그런데 어느 날 보니까 그림판에 별이 엄청 많이 그려져 있었다. 금실이 누나가 과자를 그냥 준 게 아니었다. 나 몰래 달력에 다 표시해 놓았던 거다. 그럴 때면 나중에 엄마가 와서

"금실아, 과자 좀 숨겨라."

"이놈 자식이 매일 과자를 먹어서 밥도 안 먹어!"

"과자 달라고 하면 혼 좀 내줘라."

하면서 과자 값을 모두 치러주었다.

그런데 구판장에는 외상 손님이 종종 있었다. 그중 내가 싫어하는 희태 아저씨하고 두석이 형도 온다. 희태 아저씨는 일도 안 하고 술만 마신다. 일을 하다가도 걸핏하면 구판장 마루에 와서 턱 걸터앉으며

"금실아! 대포 좀 가져와라."

"안주 좀 내와라."

"김치 좀 가져와라."

"부침개 좀 부쳐라."

금실이 누나를 아주 귀찮게 한다. 대신 좋은 점은 노가리 안주를 사서 한마리만 먹고 나머지는 나에게 준다.

희태 아저씨가 술에 취해 마루에서 자는 날이면 꼭 할머니가 오셔서 난리를 쳤다. 화가 잔뜩 난 얼굴로 술병을 마당에 집어 던진다.

"내가 속 터져 죽지. 죽어!"

"일은 안 하고 허구한 날 술만 처먹고!"

"금실아, 술 주지 마라!"

"달라는 대로 주니까 이러는 거여!"

"다음에 술 주면 혼난다."

애꿎은 누나한테 화풀이하고 희태 아저씨를 깨워서 끌고 간다. 어떨 때 보면 희태 아저씨도 불쌍하다. 어른이 나처럼 엄마한테는 꼼짝도 못 한다.

다음으로는 두석이 형이다. 내가 나중에 힘이 세지면 꼭 때려주고 싶은 사람이다. 5학년인데 누나한테 으르고 반말하고 놀린다.

"금실아? 이거 얼마냐?"

"가격도 모르지?"

"너 바보지?"

"이거 그냥 먹는다."

"부모님께 이르면 가만 안 둬!"

누나보다도 한참 어린데 버릇이 없다. 더욱이 다른 동네 형들까지 데려와 이것저것 살 것처럼 하면서 몰래 과자를 훔쳐 간다. 내가 몇 번 봤는데 들키면 주먹을 내밀면서 말하지 말라고 겁을 주었다.

하지만 누나는 다 알고 있다. 두석이 형 얼굴은 두더지로 그렸다. 눈은 작고 콧구멍은 크게. 훔쳐 간 물건도 아주 자세히 그렸다.

금실이 누나 그림은 누가 봐도 금방 알 수 있다. 정말 똑같이 잘 그린다. 모르는 사람들은 누나를 '바보'라고 하는데 그건 알지 못하는 소리이다. 내가 볼 때는 우리 동네에서 제일착하고 살림도 가장 잘한다. 특히 밥을 잘 짓고 아궁이 불도 잘 지피며 쇠죽도 잘 끓인다. 부엌에 가면 가마솥이 반질반질하게 윤난다. 부뚜막과 찬장은 재 하나도 없이 깔끔하다. 이런 모습을 보고 찬순이 할머니는

"금실이 데려가는 사람은 복덩이 데려가는 거여."

"어여, 짝지어 시집보내야 쓰것네!"

하며 칭찬을 하지만 금실이 누나 소원은 다르다.

"나으느은 여어가 조아."

"어으마 아브지이라 사커야."

"후으니도 여어기 사알자."

누나는 시집가지 않고 동네에서 함께 살고 싶어 했다. 그렇지만 어른들은 그것을 모르고 자꾸만 시집을 보내려고 한다.

물론 이유는 있다. 금실이 누나 부모님은 나이가 많다. 꼬부랑 할머니 할아버지이다. 누나 말고도 동생 금복이 누나가 있는데 새침데기이다. 금복이 누나는 자기가 언니와 함께 살 거라고 했는데 먼저 시집간 이후로 한 번도 오지 않았다. 그래서 누나 부모님은 자신들이 죽고 난 뒤가 걱정이라며 하루라도 빨리 시집보내야 한다고 말했다.

하루는 동네 나팔수인 빵빠레 아주머니가 구판장으로 신이 나서 찾아왔다.

"금실이 너 좋겠다!"

"엄니 어디 갔어?"

싱글벙글한 얼굴로 금실이 누나를 요리조리 보더니

"아픈 데는 없지?"

"마당 좀 걸어봐."

"좋다. 좋아!"

엉덩이를 '툭' 치며

"애도 잘 낳것네."

하며 흐뭇해했다.

그 모습에 나는 왠지 기분이 나빴다.

그날 밤, 나는 엄마가 아버지에게 말하는 소리를 들었다. 금실이 누나가 시집간다는 얘기였다.

누나는 혼자서 장에도 가지 못한다. 말도 잘하지 못해서 길을 잃으면 찾아오지 못할까봐 데리고 가지 않는다. 그런 사람을 시집보낸다고 하니 잠이 오지 않았다.

그런데 며칠 후, 정말 낯선 남자가 큰 봇짐을 메고 누나네 집에 왔다. 신랑 될 사람이 함을 지고 온 것이다. 깡마른 체격에 눈이 위로 치켜 올라간 것이 여간 매섭지 않았다. 양복을 입었는데 내 눈에는 일본 순사처럼 보였다.

그 남자는 하룻밤을 자고 다음날 혼례도 치르지 않은 채 누나를 데리고 동네를 떠났다.

그날 나는 밖에 나가지 않았다. 부아가 나서 방안에 틀어박혀 있었다. 그때 사람들 말소리가 들렸다. 누나가 집을 나서는 모양이었다.

나는 속으로 보지 말아야지 하면서 꾹꾹 참다가 끝내 마루로 나갔다. 더 늦기 전에 누나가 떠나는 것을 보기위해 까치발을 하고 담장 너머를 쳐다보았다.

저만치에 금실이 누나가 보였다. 머리를 예쁘게 틀어 올리고 보따리를 가슴에 안은 채 낯선 이를 졸졸 따라가고 있었다. 누나는 가면서도 자꾸만 뒤돌아보며 울었다. 금복이 누나가 시집갈 때는 족두리도 쓰고 절도하고 잔치도 했는데 금실이 누나에게는 아무것도 해주지 않았다.

시집가는 곳은 아주 멀리 떨어진 '전주'라고 했다. 기차를 타고 한참 가야 한다. 동네 사람들은 금실이 누나 부모님께 한시름 덜었다며 잘된 일이라고 했지만 나는 자꾸 눈물이 났다.

빵빠레 아줌마 말로는 신랑 집이 부자여서 아들 하나만 낳아주면 업혀 살 거라며 걱정하지 말라고 했지만 엄마 말로는 신랑이 간질병 환자라고 했다. 더군다나 점잖아보여도 술만 마시면 사람을 때리고 살림을 부수는 등 난폭하기 그지없다고 말했다. 엄마는 어찌 알았는지 시집보내는 게 마음에 걸린다며 아버지에게 토로했다.

그 뒤 3년이 넘도록 누나는 소식이 없었다. 시집갈 때는 1년에 두 번은 꼭 온다고 했는데 도통 오지 않았다. 전보를 쳐도 소식이 없었다. 무슨 일이 난 것은 아닌가 싶었지만 빵빠레 아줌마는 걱정 말라며 잘 있다는 말만 되풀이 했다.

그러던 어느 날이었다.

"저기 누구여?"

"어디? 금실이 아녀?"

"맞네, 금실이네!"

우리 집이 동네 맨 앞이다 보니 마짝으로 누가 걸어오면 가장 먼저 보였다. 엄마랑 찬순이 할머니가 누나를 알아보고는 얼른 뛰어나갔다.

금실이 누나는 거지 차림이었다. 시집가던 날 쪽진 모습은 온데간데없고 한쪽 다리마저 절룩거렸다. 머리는 아무렇게나 싹둑싹둑 잘려있었다. 어찌 된 영문인지 누나를 정말 바보처럼 만들어 놓았다.

"어떻게 왔어?"

"꼴이 왜이랴?"

"혼자 온 거여?"

"무슨 일이여?"

"에이구! 이 불쌍한 것."

엄마하고 찬순이 할머니는 누나를 껴안고 펑펑 울었다.

누나는 집에 돌아와서 한동안 잠만 잤다. 알고 보니 속아서 시집간 것이다. 며느리를 얻는 것처럼 하고는 집에서 종처럼 부려 먹을 심산으로 데려간 듯했다. 아주 못된 사람들이다. 더 나쁜 사람은 빵빠레 아줌마이다. 중매하면서 모를 리 없을 텐데 좋은 말만 해서 떠나보낸 거다. 그래 놓고 누나를 탓했다.

"애를 못 낳아서 그런 거여."

"아들만 떡하니 낳아봐?"

"마님 대접받고 살지!"

빵빠레 아줌마는 말도 참 밉게 했다.

"아무리 그래도 그렇지?"

"자네 일가(一家)라고 해서 믿고 보냈더니 이 꼴이 뭔가?"

"언질이라도 주지!"

"사위가 간질병 있어도 우리가 뭐라 했나?"

"이 몹쓸 사람아?"

"호강은 바라지도 않네. 야 하나 지댈 데 있으면 된다고 생각했지!"

"이건, 아니잖은가?"

얼마나 속상했는지 금실이 누나 엄마가 빵빠레 아줌마 팔뚝을 치며 분통을 터뜨렸다.

그나저나 누나가 어떻게 찾아왔을까. 말도 잘하지 못하고 기차도 탈 줄 몰랐을 텐데….

금실이 누나가 몸을 회복할 새도 없이 수일도 되지 않아 신랑이 누나를 데리러 왔다.

나는 엄마한테 누나가 다시 되 돌아가는 것을 말려 달라고 부탁했다. 엄마는 처음부터 신랑을 탐탁지 않게 여겼기 때문이다. 하지만 신랑이 금실이 누나 부모님 앞에 무릎 꿇고 넙죽 숙였다.

"종 취급이라뇨?"

"손찌검 한 번도 안 했어요!"

"헛소문이에요. 절대 그런 일 없어요!"

신랑은 오해라며 믿어달라고 간곡히 말했다.

“걱정 마세요. 다시는 이런 일 없게 할게요.”

“제가 잘할 테니까. 노여움 푸세요!”

연거푸 굽신거리며 용서를 빌었다.

내가 나서서 말하고 싶었다.

‘저 아저씨 말 거짓말이에요’

‘누나한테 바보라고 때렸데요!’

‘방에서도 못 자게 했데요’

엄마는 내가 말을 못하도록 양손으로 폭 안아 감싼 채 놓아주지 않았다. 어른들은 내 말을 들으려고도 하지 않았다. 나는 완전히 무시 되었다.

금실이 누나는 신랑이 앞에 있으니깐 매 맞은 강아지처럼 눈도 마주치지 못하고 구석에서 고개만 푹 숙이고 있었다. 따라가고 싶지 않다고 피하는 눈과 떨리는 몸이 말하고 있는데도 누구도 알아차리지 못했다.

이윽고 다음 날, 누나는 전주로 다시 끌려 내려갔다. 대신 이번에는 금실이 누나 엄마도 함께 했다. 사는 것도 볼 겸 집을 알아놔야겠다며 따라가셨다. 떠나는 누나를 은행나무 아래서 아주머니들이 바라보았다.

“저리 보내는 게 맘에 걸리네!”

“그럼, 누가 델꼬 살겨? 두 노인네 돌아가시면….”

“어찌됐든 자식이래도 낳으면 좋겠건만.”

“불쌍해서 저것을 어째.”

그날 밤, 나는 아버지께 졸랐다.

“누나가 또 오면 보내지 마!”

“아버지가 말려줘?”

“신랑이 나쁜 사람 같아.”

“우리 집에서 살면 되잖아!”

금실이 누나가 우리 집에서 같이 살면 우리 집 황소도 좋아할 것이다.

우리 집 소는 동네에서 덩치도 제일 크고 힘도 무척 세다. 고집도 있어서 한번 날뛰면 도저히 말릴 수가 없다. 그럴 때 유일하게 황소를 진정시킬 수 있는 사람은 금실이 누나이다.

우리 집 황소는 일은 잘하는데 해질녘 냇가에 풀어 놓고 풀 좀 뜯게 하면 꼭 한 번씩 지랄을 부린다. 집에 가려고 고삐를 당기면 고개를 쳐 흔든다. 그러다 고삐를 조금 세게 당기면 그때부터 날뛰기 시작한다.

한 번 뛰기 시작하면 신작로가 됐건 논길이 됐건 앞만 보고 정신없이 달린다. 그때는 아버지도 별수 없다. 동네 아저씨고 누구고 아무도 못 잡는다. 억지로 잡으려고 고삐를 쥐면 쇠뿔로 들이받고 뒷발로 찬다. 그럴 때 아버지는 '어서 금실이 불러와라!' 한다.

신기한 것은 누나가 오면 황소는 먼 데를 바라본다. 꼭 일을 쳐서 들킨 놈처럼 딴청을 부린다. 누나는 황소가 무엇을 원하는지 알고 있는 것처럼 절대로 고삐를 채지 않는다. 그렇게 잠시 보고 있으면 황소가 슬그머니 다가와서 혀로 핥으며 머리를 들이민다. 그럴 때 누나가 황소 볼을 쓰다듬어주고 톡톡 치면 지랄 맞은 소는 언제 그랬냐는 듯 지가 앞장서서 집으로 온다.

우리 집 황소는 내가 정말 잘해주는데 나보다도 누나를 더 잘 따른다. 아마도 커다란 눈이 누나 눈과 닮아서 그런 것 같다.

나는 금실이 누나와 같이 살아도 좋다고 아버지한테

졸랐다.

"그래, 그래, 알았다. 조금만 있다가."

아버지는 나중에 그렇게 하자고 했다.

금실이 누나가 전주로 끌려간 그해 겨울, 기어코 일이 터졌다.

저녁 무렵 텃골에 사는 역무원 아저씨가 아버지와 상의할 게 있다고 찾아 오셨다.

"금실이가 지금 역에 와있네."

"어째서 거기 있어요?"

"객실 차장이 내려주고 갔어."

"누군가하고 봤더니 금실이더라고."

"배짝 마른 게 잘 걷지도 못해서 우선 숙직실에 눕혀놓고 왔네."

"잘하셨어요."

"어디 심하게 아픈가요?"

"글쎄, 그게 말여. 아무래도 애를 가진 것 같어."

아버지가 엄마를 급히 불렀다.

"금실이가 역에 와있데. 나랑 좀 같이 가야것어."

"지금요?"

"그려, 금실이네 집에는 나중에 알리고 어서 가자고."

나도 부모님을 따라서 역에 갔다.

금실이 누나는 내가 반가운지 두 팔을 벌려 맞아 주었다. 배는 약간 불룩한데 아무것도 못 먹은 사람처럼 얼굴 살이 쏙 빠져있었다.

밤늦게 집으로 돌아온 우리는 윗방에 누나 자리를 펴주었다. 아버지도 엄마도 누나한테 당분간 낮에는 밖으로 나오지 말라며 요강을 넣어주었다.

우리 집 윗방은 방안을 통해서도 연결되어 있다. 그래서 별개로 있는 윗방 문을 안에서 잠그면 다른 사람들이 밖에서 열수 없을뿐더러 안방을 거쳐야만 드나들 수 있다.

아니나 다를까 이튿날, 신랑과 시어머니가 금실이 누나네 집을 또 찾아왔다. 신랑은 술을 마시고 왔는지 미친놈처럼 욕하고 누나네 부모님한테 당장 누나를 내놓으라고 생떼거리를 썼다.

"그년! 어딨어요?"

"병신 같은 게 불쌍해서 데리고 살아줬더니."

"애를 배서 도망쳐!"

"당장 내놔요."

"이젠 굶겨 죽이든 때려죽이든 내 맘대로 할겨!"

정말 개망나니가 따로 없었다. 누나네 집을 뒤지며 고래고래 소리쳤다. 보다 못한 동네 아저씨가 나서서 어디서 행패냐며 신랑을 강제로 진정시켰다.

시어머니는 아들을 말릴 생각은 않고 매서운 눈으로 요리조리 집안을 훑어보았다. 꼭 뺑덕어멈처럼 생겨서 밉상이었다.

시어머니는 금실이 누나가 애를 가졌는데 몰랐느냐며 오히려 적반하장으로 누나네 부모님을 채근했다. 자기네는 기다리던 임신 소식이라 지극정성으로 보살폈다고 한다. 처음에는 누나가 '모지리'라서 애 가진 것도 몰랐다며 나중에서야 알고는 본인도 놀란 것 같다고 했다. 근자에는 입덧이 심해 잘 먹지도 못해서 입맛을 돋우라고 장을 보러 나온 사이 사라졌다는 것이다.

모르는 사람이 얼핏 들으면 금실이 누나가 정신이

이상해져서 집을 나온 것처럼 들렸다.

그런데 임신 얘기를 듣자 금실이 누나 부모님과 동네 사람들 반응이 달라졌다. 무언가를 이해한다는 것처럼 시어머니와 신랑을 다독였다. 오히려 누나가 온전한 사람도 아닌데 그 몸으로 길이라도 잃으면 큰일이라고 고개를 끄덕이며 동조했다.

이틀 동안 시어머니와 신랑은 금실이 누나네 집에 머물렀다. 하지만 아무리 기다려도 누나에 대한 소식을 듣지 못했다. 그러자 마음이 조급해졌는지 더 큰일을 당하기 전에 찾아야 한다며 전주로 급히 내려갔다.

저녁때쯤 엄마가 애끓고 있는 누나 부모님을 우리 집으로 모셔왔다. 식사라도 하셔야 한다며 데려오셨지만 이유는 따로 있었다.

"너무 걱정하지 마시고 일단 앉아보세요."

아버지가 한 몫 거들었다. 그리고 누나를 불렀다.

"금실아? 이리 와라!"

내가 누나하고 윗방에서 내려와 옆에 앉았다. 그러자 누나 부모님이 깜짝 놀라며 되물었다.

"이게 어찌 된 겐가?"

"사돈까지 와서 난리를 쳤는데…."

"자네 집에 있었는가?"

"이 사람아, 뭐 하는 겐가?"

금실이 누나 부모님이 서운한 듯 말했지만 다행스러워하는 눈치였다.

"죄송하게 됐습니다."

"금실이를 위해서 그런 거니깐. 얘기 좀 드릴게요."

아버지가 차근차근 말씀하셨다.

금실이 누나가 그 집에서 종처럼 사는 것은 사실이다. 애를 가지지 못한 것도 사실이며 시댁 식구들과 신랑이 누나를 사람답게 여기지 않는 것도 사실이다. 하지만 애를 가지지 못하는 것은 누나 잘못이 아니라 신랑에게 문제가 있었다. 그 사실을 알았을 때 시동생이 금실이 누나를 겁탈한 일이 발생했다. 그래서 지금 임신하게 된 것이다. 그 집 식구들은 모두 알고 있지만 어찌 되었든 간에 아기를 얻었으니 남들 모르게 입단속만 잘하면 된다고 생각했던 모양이다.

아버지는 지금까지 누나에게서 듣고 확인한 말을 빠짐없이 전해주었다.

"이 불쌍한 것을 어찌할꼬?"

"이제 어찌할꼬?"

"이것을 어찌할꼬?"

금실이 누나 부모님은 신세를 한탄했지만 소리 내어 울지도 못했다. 속으로 삭히며 신음했다.

그러나 문제는 따로 있었다. 만약, 금실이 누나를 전주로 돌려보내지 않고 여기서 살게 한다면 애를 낳고 혼자 키울 수 있을지 의문이었다. 지금이야 부모님이 계시지만 언제 어찌 될지 모르는 연세이다. 아기와 누나를 위해서 과연 어떻게 하는 것이 좋을지 결정을 내리기가 쉽지 않았다.

우리 부모님과 금실이 누나 부모님은 며칠간 고민을 거듭했다. 그리고 마침내 결정을 내렸다.

금실이 누나는 가기 싫다고 처음으로 말했지만 받아들여지지 않았다. 나 역시 누나가 전주로 돌아가는 것을 반대했다. 우리 집에서 함께 살았으면 좋겠다고 어른들에게 말했다. 내 눈에는 그 누구도 누나를 아끼는 것처럼 보이지 않았다. 심지어 엄마와 아버지까지도 미웠다.

이것은 분명 잘 못된 일 같았다. 그렇지만 누나 의견은 여전히 무시된 채 아주머니 손에 이끌려 또다시 전주로 끌려 갈 수밖에 없었다. 대신 아기를 낳고도 여전히 홀대하면 바로 데려오기로 약속했다.

누나가 떠나고 나는 윗방에 들어가 한참 동안 울었다. 그러다가 방바닥에 떨어진 물건을 발견했다. 꼬깃꼬깃 접힌 기름칠 된 종이였다. 별것은 아니었지만 누나의 손때가 묻은 것을 보니 소중히 여긴 듯 했다.

그렇게 금실이 누나가 전주로 내려간 이듬해 여름이었다. 드디어 나는 셈을 할 수 있게 되었고 글도 읽을 수 있게 되었다. 학교를 다니니 친구도 많이 생겼다. 보통과 달리 토요일은 수업이 일찍 끝나서 기분이 더 좋았다. 그럴 때는 가끔 철길을 따라 걸어오기도 했다. 저 멀리 사라지는 기차 꼬랑지를 보고 달리기도 했고 선로에 귀를 대고 기차 오는 소리도 들어보았다.

내가 금실이 누나를 다시 본 것은 여름 방학을 앞

둔 마지막 토요일이었다. 그날도 철기를 따라 걸어오다가 역 근처에 이르러 마뚝으로 올라왔다. 그때 건너편 플랫폼에 금실이 누나가 서 있는 것을 보았다.

나는 반가워서 두 손을 입에 모으고 큰 소리로 불렀다.

"누나? 누나?"

내 목소리가 들렸는지 누나가 나를 보더니 웃으면서 손을 흔들어 주었다.

"누나 어디가?"

"언제 왔다 가는 거야?"

"나 좀 보고 가지!"

누나도 두 손을 입에 모으고 내게 들리도록 크게 말했다.

"보고 싶었어!"

"잘 있어!"

"나중에 올께!"

처음으로 듣는 누나의 또렷한 목소리였다. 달맞이꽃처럼 부드럽고 빗방울 소리만큼 정겨웠다. 게다가 동백기름을 바르고 쪽 찐 머리, 연한 쪽빛 한복을 입고 검은 때를 벗은 뽀얀 손을 흔들어주는 모습은 마치 선녀 같았다. 시집갈 때 보다 훨씬 더 곱디고왔다.

나는 마음이 급했다. 누나를 만나기 위해 철길을 가로질러 건너려했다. 그 순간 어느새 왔는지 기차가 가로막고 멈춰 섰다. 많은 사람이 빠르게 오르내렸다. 그리고 기차는 금세 떠났다. 하지만 방금 전 까지 있었던 누나는 보이지 않았다. 아마도 조금 전 그 기차를 탄 듯싶었다.

나는 아쉬운 마음에 누나가 타고 있을 기차가 보이지 않을 때까지 손을 흔들었다. 그리고는 집으로 숨차게 달렸다. 왜냐하면 어른들에게 빨리 알려주고 싶었기 때문이다.

집에 들어서자 엄마가 마루에서 울고 있었다. 조금 전 전보를 받았는데 금실이 누나가 아기를 낳다가 죽었다는 것이다.

"아닌데! 역전에서 누나를 방금 봤는데?"

"분명 금실이 누나였는데?"

아무래도 전보가 잘 못 왔겠지 조금 전 보았는데….

나는 문득 누나가 방에 놓고 간 종이가 떠올라서 곧

장 서랍을 열어 읽어 보았다. 꼬깃꼬깃 접힌 기름종이에는 우리 집 주소와 누나 이름이 쓰여 있었다.

나는 누나가 떠날 때 방안에 놓고 간 거라며 엄마에게 보여주자 엄마는 대성통곡을 했다.

기름종이는 금실이 누나가 시집갈 때 불안함을 느낀 우리 엄마가 돈과 함께 손수건에 싸준 것이다. 종이에 누나 이름과 우리 집 주소를 적어서 빗물에도 번지지 않게 들기름을 발라 말려준 것이다. 덧붙여 다른 사람에게 들키지 않게 가지고 있다가 너무 힘들거나 집에 오고 싶으면 역에 가서 보여주라고 남몰래 챙겨준 것이었다.

그동안 금실이 누나가 전주에서 두 번씩이나 찾아올 수 있었던 것은 기름종이 덕이었다. 그런데 누나가 세 번째 전주로 끌려갈 때는 이것을 놓고 갔다.

잊어버린 것인지 잃어버린 것인지 아니면 일부러 인지 어른들은 알지 못했다.

범말사람들

소 문

어느 해 가을 추석 전날이었다.

동네가 들썩들썩한 일이 벌어졌다. 도시에서 일하던 용이 삼촌이 장가를 간다며 여자를 데려왔다. 사람들은 너나 할 것 없이 새색시를 보겠다며 다들 모였다.

나도 엄마를 따라서 용이 삼촌 색시를 보러 갔다. 낯선 곳에 처음 인사하러 오는데 여러 사람이 몰려와 빤히 쳐다보고 있으니 얼마나 민망하였을까.

동네가 작다 보니 이웃 일도 자기 일처럼 여기고, 남의 집 새 식구도 자기 집 손님처럼 반가이 맞던 시절이다.

용이 삼촌이 데려온 여자는 삼촌보다 키가 컸다. 갸름한 얼굴에 도톰한 입술 커다란 눈에 피부는 약간 까무잡잡했다. 게다가 웃을 때 들어가는 보조개는 보는 사람을 기분 좋게 만들었다.

동네 아주머니들은 어디서 이런 색시를 보쌈해 왔냐며 삼촌을 놀렸다. 그러면 삼촌은 얼굴이 빨개진 채 아무 말도 못 하고 고개를 푹 숙였다.

한바탕 새색시 인사 소동이 끝나고, 다들 집으로 돌아갈 때쯤 용이 삼촌이 손짓으로 나를 불렀다.

무슨 일인가 싶어서 내가 쪼르르 달려갔더니 삼촌이 커다란 상자를 건네주었다.

"맛있게 먹어."

그것은 과자와 사탕이 가득 담긴 종합선물세트였다. 나에겐 최고의 선물이었다.

"정말? 지금 먹어도 돼?"

"그럼 먹어도 되지. 너 주려고 산거야."

"고맙습니다!"

내가 고개를 꾸벅 숙이자 삼촌이 데려온 색시가

"그 귀한 아이가 너구나!"

하며 머리를 쓰다듬어 주었다. 나는 처음으로 낯선 것이 무엇인지 알 것 같았다. 양쪽 어깨가 쓱 올라가며 목이 자라처럼 움츠러들었다.

사실 용이 삼촌은 동네 삼촌이다. 형편이 어려워 학교도 제대로 다니지 못했다. 그래서 동네 아저씨 소개로 열두 살 때 일자리를 찾아 도시로 나갔다. 취직한 곳은 대전 중앙시장에 있는 그릇 가게였다. 그곳에서 점원으로 일한 시간이 내가 태어난 해수보다 두 배를 넘었다.

용이 삼촌은 동네에서도 소문날 만큼 말수가 적었다. 그래서 도통 속마음을 알지 못했다. 그런 사람이 장가를 가겠다며 여자를 데려온 것이다. 하지만 결혼식을 올릴 형편이 되지 않아서 예식은 나중으로 미뤘다. 대신 물 떠 놓고 절하는 것으로 새사람을 맞이한다고 했다.

그날 저녁에 용이 삼촌이 아버지께 인사를 왔다. 부모님과 한참 대화하고는

"감사합니다."

"감사합니다."

연신 인사를 했다.

삼촌 집은 부엌 달린 방 한 칸과 빈 외양간뿐이었다. 뻔히 사정을 알고 있기에 아버지가 우리 집 바깥사랑채를 신혼집으로 내어주었다.

우리 집은 ㄷ자 형태로 제법 규모가 있었다. 안채는 방 두 칸과 부엌이었고 왼쪽에는 가끔 사람들이 모이는 빈 안 사랑채가 있었다. 오른쪽으로는 외양간과 광이 있었는데 용이 삼촌이 살게 되는 사랑채는 안채와 조금 떨어져 있어서 별채에 가까웠다.

추석이 지나고 며칠 후, 혼례를 치른 용이 삼촌은 혼자서 다시 도시로 떠났다. 우리 집 사랑채에 신혼집을 마련하고는 새색시만 남겨 놓았다. 그렇지만 매주 한 번씩은 돌아와서 삼촌네 빈 외양간을 방으로 바꾸는 일을 했다. 동네 사람들도 그 사실을 알고 틈틈이 도운 덕에 반년도 되지 않아 말끔하게 새 집이 마련되었다. 이후, 용이 삼촌은 그릇 가게를 그만두고 동네로 돌아와 자리를 잡았다. 그간 모은 돈으로 작은 밭도 샀다. 동네 사람들이 모여 잔치를 열었다.

가난에서 벗어나는 것이 무엇인지 나는 몰랐지만, 사람들이 다 같이 모여 기뻐해주는 것을 보니 무척 좋은 일이 생긴 것이 분명했다.

두 해가 지나고 용이 삼촌은 눈에 띄게 형편이 나아졌다. 솔직히 말하면 용이 삼촌 부모님은 연세가 많으셔서 집안에 큰 힘이 되지 못했다. 아버지는 일흔이 넘으셨고 어머니 역시 예전에 송아지 여물을 주기 위해 볏짚을 썰다가 작두에 왼쪽 손목이 잘려 나갔다. 오롯이 두 사람의 힘으로 농사를 늘려나갔다.

그 무렵 우리 동네에서 10리쯤 떨어진 곳에 큰 가구 공장이 새로 생겼다. 용이 삼촌과 아내도 그곳에 취직했다. 낮에는 공장을 다니고 퇴근 후에는 여전히 농사를 지었다. 몸이 두 개라도 부족했다.

어느 해 봄은 공장을 다니느라 모심기를 다 하지 못해 늦은 밤까지 부부가 달빛과 횃불을 낮 삼아 모를 심었다. 동네 사람들은 며느리를 잘 드려서 부자가 될 거라고 입을 모았다.

해가 거듭될수록 용이 삼촌은 남들이 알아볼 만큼 빠르게 부자가 되어갔다.

한마당에 두 집이 살던 곳을 경중이 형네가 이사 가면서 사들였고, 옛집을 모두 허물고 슬래브 양옥집으로 새로 지었다. 우리 동네에서 제일 멋진 현대식 집이었다.

얼마 후에는 예식장에서 결혼식도 한다며 모두에게 알렸다. 분명히 경사스러운 일이었다. 그런데 동네 사람들 반응은 조금 달랐다. 왜냐하면 용이 삼촌 아내에 대한 나쁜 소문이 돌았기 때문이다. 날마다 시어머니를 구박한다는 것이다. 손이 온전치 못해 청소며 빨래도 제대로 못 한다며 타박했고, 삼촌을 학교에 보내지 않은 것은 친어머니가 아니기에 일부러 그런 것 아니냐며 몰아세운다는 이야기였다. 더 심한 것은 친어머니가 아닌데 모셔야 할 이유가 있냐며 오히려 따져 물었다고 한다.

나는 세상살이가 무언지 이해할 수 없는 나이였지만 엄마와 아버지의 대화에서 걱정이 담긴 것을 느낄 수 있었다.

삼촌의 아버지는 실향민이다. 한국전쟁 당시 북쪽에 가족을 남겨두고 전쟁에 이끌려 남하하였다. 그러던 중 첫 번째 부인을 만나서 용이 삼촌을 낳았는데 벙어리였던 아내는 무슨 이유에서인지 어린 애를 놔두고 나가버렸다. 그쯤 나이 든 홀아비를 안타깝게 여긴 아주머니가 곁에 있어 주면서 자연스레 삼촌의 새엄마가 된 것이다.

용이 삼촌 부모님은 법 없이도 살 수 있는 분들이라고 소문이 자자했다. 특히 새어머니는 소녀처럼 순박하고 착한 분이셨다. 외팔이가 됐어도 부지런하며 인정이 많으셨는데 내가 외팔 할머니라고 불렀다. 그리고 나에게 얼마나 잘 해주는지 친할머니로 착각할 정도였다.

어느 해 여름, 내가 삼촌네 담벼락에 핀 호박꽃과 칼싸움을 해서 모조리 잘라낸 적이 있다.

"너는 완전히 포위됐다. 내 칼을 받아라."

"쨍쨍쨍쨍"

입으로 소리를 내며 호박꽃이 필 때마다 잘라냈으니 그 해 호박은 몇 개 맺지 못했다.

호박꽃 사건을 엄마에게 들켜 혼쭐이 나던 날이었다. 내가 서럽게 울자 외팔 할머니는 어느새 와서 오히려 감싸주었다. 그리고 어렵사리 열린 애호박을 따서 부침개까지 해주셨다.

나는 심하게 개구쟁이였는데 아무리 철부지라도 호박꽃과 칼싸움은 하지 말아야겠다고 깨닫게 해준 분이다. 이런 분을 구박한다니 믿겨지지 않았다.

그런데 시간이 지날수록 용이 삼촌 아내에 대한 소문은 풍선처럼 커졌다. 삼촌보다 나이도 훨씬 많은데 어려 보이려고 화장을 두껍게 한다거나 처녀도 아니면서 처녀인 것처럼 삼촌을 속여 결혼했다는 등 들리는 말로는 주정뱅이 남편을 만나 살다가 자식도 버리고 도망친 못된 년이라고까지 했다.

그러던 어느 날, 이윽고 사달이 났다.

소문이 그렇게 만든 것인지 소문대로 정말 그런 것인지 알 수 없지만 결혼식 날짜가 잡히고 외팔 할머니가 사라졌다. 식장에는 용이 삼촌 친어머니가 앉아있었다. 동네 사람들 모두 깜짝 놀랐다. 그러나 나는 이미 알고 있었다.

결혼식 이틀 전 밤에 외팔 할머니가 눈이 퉁퉁 부은 채 우리 집에 찾아왔다. 엄마는 얼른 방으로 모셔와 한참 동안 이야기를 나눴다.

"뭔 죄를 짓고 살았길래 이런지 몰것네."

"소처럼 일하고 내 새끼마냥 치웠건만."

"핵교를 못 보낸 게 죄긴 죄꼬마…."

"내 무슨 영화를 보것다고 아를 내모라 깠나!"

"자네 보기도 내 그른 사람 갔나?"

"자네는 알제?"

억장이 무너지듯 외팔 할머니는 가슴을 '퍽퍽'쳤다.

"그런 소리 마세요. 아주머니 잘못한 거 없어요. 죄 지은 것도 없고!"

"아주머니 선한 건 하늘도 알고, 땅도 알고 동네 사람 죄 알아요."

"새끼 결혼하는 디 흉잡히면 안 대제. 지금 가야 하는 디 갈 디가 있어야 제!"

"어디 모르는 디 가서 콱 죽어버려야 제!"

그 말에 엄마는 흉측한 소리 하지 말라며 몇 번이나 손등을 쳤다. 엄마와 외팔 할머니는 더 이상 말을 잇지 못하고 울기만 했다.

사단의 원인이 무엇이었을까? 외팔 할머니에 관한 얘기를 보태어 말 한 사람이 있을 텐데…. 용이 삼촌 아내가 그냥 이러지는 않았을 게다.

그때 멀리 출장 가셨던 아버지께서 돌아오셨다.

엄마는 외팔 할머니 사정을 이야기했다. 아버지는 몹시 화를 내셨다.

"용이 좀 만나고 와야것어!"

하시며 벌떡 일어섰다.

그 모습에 외팔 할머니가 아버지 바짓가랑이를 덥석 잡았다.

“그라지 말게, 절대 그라지 마러!”

외팔 할머니가 오히려 사정했다.

“세상천지에 어떤 자식이 부모를 내쫓습니까?”

“이런 배은망덕 한 놈!”

“아무리 생각해도 이건 아니죠!”

화를 주체하지 못하는 아버지를 보고 엄마가 팔을 잡고 말렸다.

“잘 못하면 큰 쌈 나요!”

“쫓아낸 게 아니래요. 속상해서 나온 거지.”

“일단 앉아 봐요. 진정하고. 지금 얘기해봤자 소용없어요. 시간을 갖고 달래야지.”

엄마 말에 한참을 서서 한숨을 푹푹 쉬던 아버지가 자리에 앉았다. 그러고는 담배를 한 대 꺼내 입에 물었다. 나는 아버지가 이렇게 화내는 것을 처음 보았다. 천둥 같은 목소리가 엄청 무서웠다.

그 사이 엄마는 어디 갈 채비를 하는지 급히 서둘렀다. 당시에 나는 엄마가 도망가는 줄 알았다. 그래서 떨어지지 않으려고 딱 붙어서 졸졸 따라다녔다.

아버지가 나를 떼어놓으려고 잡았지만 내 고집도 보통이 아닌지라 절대로 떨어지지 않았다. 할 수 없이 엄마는 나를 데리고 외팔 할머니와 함께 집을 나섰다.

할머니가 가진 것이라고는 옷가지를 싼 작은 보따리와 손에 쥔 몇 푼이 전부처럼 보였다. 땟물이 베인 무명 저고리에 숯이 묻고 해진 치마가 그간의 삶을 말해주었다.

밤이 깊을 데로 깊었다. 개 짖는 소리도 나지 않을 때 작은 손전등 하나를 켜고 신작로가 아닌 산기슭으로 엄마가 길을 잡았다. 5리를 조금 넘게 걸어 기차역에 도착했다.

자정에 가까운 시간이었다. 간이역을 지나는 마지막 완행열차를 타고 우리는 김제로 향했다. 기차를 타고 조금 있다 나는 잠이 들었다.

새벽에 깨어보니 친할머니 댁이었다. 눈이 휘둥그레진 할머니는 무슨 일인지 물었다.

우리 할머니는 할아버지가 돌아가신 후에도 여전히 홀로 김제에 사셨다.

자초지종을 듣고 할머니께서 말씀하셨다.

“인자 괜찮어. 걱정하지 말게. 걱정 마!”

“힘든 일 이제 그만하고 나랑 살면 되지.”

“다른 건 잊고 사세.”

할머니는 외팔 할머니 등을 토닥이며 다독여 주었다.

엄마와 나는 다음날 집으로 돌아왔다. 외팔 할머니는 이제 우리 할머니와 함께 사실 것이다.

여러 가지 우여곡절 끝에 용이 삼촌 결혼식이 끝났다. 삼촌네 집에는 벙어리인 친어머니가 함께 살게 되었고, 용이 삼촌 아내는 임신을 했다.

삼촌의 아버지는 얼마 후 자리에 누우셨다. 모두가 알지만, 약이 없는 병이었다. 쉽사리 자리를 털고 일어서지 못했다. 가끔 밖에 나오시지만 예전하고는 전혀 다른 기력이셨다.

그해 겨울, 용이 삼촌 아내는 딸을 낳았다. 이름은 ‘미옥’이였다.

한 해가 저물 무렵 많은 것이 변해 있었다. 오래된 이웃 경중이 형네가 이사를 갔고, 양옥집이 마을에 처음 생겼다. 동네 앞 신작로는 아스팔트로 포장되었고 자주는 아니지만 버스가 지나갔다. 동네 사람도 몇은 새로 바뀌었다. 더 이상 산골이 아닌 모습으로 변해가고 있었다.

용이 삼촌 아내는 미옥이를 출산하고 첫돌을 맞을 때까지는 집에 있었지만, 다음해부터는 가구공장을 다시 다녔다. 이제 벙어리인 할머니가 어린 미옥이와 누워 계신 할아버지를 꼼짝없이 돌봐야 하는 신세가 되었다.

용이 삼촌과 미옥이 엄마는 자기들의 삶에 여전히 성실했고 다른 일에 관해서는 관심을 두지 않았다. 더 많은 땅을 얻어 농사도 넓혀갔다. 해가 거듭될수록 어우리 지었던 논은 한 마지기 두 마지기씩 삼촌 땅이 되었다. 그러면서도 동네 사람들에게 인색하지 않았다.

미옥이가 다섯 살이 될 무렵 삼촌의 아버지께서 돌아가셨다. 아무도 임종을 보지 못했다고 한다.

돌아가시기 며칠 전 불편한 몸에도 불구하고 할아버

지께서 우리 집에 오셨다. 아버지가 약주를 한잔 대접해드리자 받으시며 이런 저런 얘기를 나누셨는데 무슨 이야기인지 듣지 않아도 짐작이 되었다.

미옥이 할아버지께서 나를 보더니

“언제 이리 컸노.”

“엄니 말 잘 듣고 갱강 하고.”

내가 부축해드리자 할아버지는 내 손에 용돈을 쥐어 주었다.

“고맙데 고마워.”

할아버지가 한마디 하시고는 두 눈을 꾹꾹 누르더니 더딘 발걸음을 떼셨다. 그러고는 혼잣말로

“그리래도 잘 있쓰믄 된기다. 잘 있으믄 된기야.”

연신 말씀하셨다.

뒤돌아가는 할아버지의 구부러진 허리와 깡마른 종아리가 눈에 밟혔는데 그날 밤 미옥이 할아버지는 세상을 떠나셨다.

할아버지가 돌아가시고 그간 미옥이를 돌보며 간호하던 벙어리 할머니도 집을 떠났다. 가구공장에서 아이

를 맡기고 일할 수 있게 일종의 탁아소를 만들어 운영했기에 더 이상 할머니의 손길이 필요 없었다.

미옥이 엄마는 벙어리 할머니가 혼자 지내고 싶다고 하여 예전 살던 곳으로 되돌아간 것이라고 말했지만, 누구도 그 말을 믿지 않았다. 그렇다고 미옥이네 집에 따져 묻는 사람도 없었다.

그런데 이런 일은 이미 예견됐다.

1년 전.

미옥이가 네 살 때 동네 입구로 작은 승용차 '티코' 한 대가 들어왔다. 차에서 내리는 사람은 다름 아닌 미옥이 엄마였고 그로부터 한 시간 후에 용이 삼촌이 자전거를 타고 퇴근했다. 가끔 그런 일이 있을 때는 별다른 생각이 들지 않았다. 누군가 퇴근길에 태워 주나보다 생각했는데 횟수가 점점 잦아졌다. 그러더니 어느 때부턴가 아침 출근 시간에도 어김없이 티코가 서 있었다.

이상한 점은 미옥이 엄마와 용이 삼촌은 같은 곳을 다니는데 삼촌은 자전거로 출퇴근하고 미옥이 엄마는 남의 차를 타고 다녔다.

미옥이 엄마가 말하길 용이 삼촌과 하는 일이 달라서 시간이 다르다고 했다. 그래서 같이 일하는 직원이 지나가는 길에 바래다주는 것이라고 말했다.

그 뒤로는 아주 가끔 용이 삼촌도 티코를 타고 내리는 것이 눈에 띄었지만, 매번 그 차를 타고 내리는 사람은 미옥이 엄마뿐이었다.

동네 사람들 눈에는 의아하게 보였지만, 미옥이네 식구에게는 대수롭지 않은 듯했다. 게다가 네 살짜리 미옥이는 티코를 끌고 다니는 사내를 보고 '큰아빠'라고 불렀다. 용이 삼촌 역시 그 사내에게 '형님'이라고 부르며 따랐다.

심지어 티코 사내는 쉬는 날이면 미옥이네 집에서 자주 머물다가곤 했다. 사내가 장이라도 푸짐하게 봐오는 날이면 의례마당에 상을 펼쳤다. 용이 삼촌 역시 한자리 차지한 채 아무렇지 않게 어울렸다. 다만, 미옥이 할아버지와 벙어리 할머니는 그 자리에 없었다. 끼지 못한 것인지, 끼지 않은 것인지 한 번도 함께하는 모습을 보지 못했다.

가구공장은 주말에도 가끔 출근하는 날이 있었는데, 미옥이 엄마와 용이 삼촌은 출근 날이 달랐다. 미옥이 엄마가 출근하는 날에는 어김없이 티코 사내가 와서 데려갔다. 그런 날이면 용이 삼촌은 점심도 굶어 가며 하루 종일 농사일을 혼자하곤 했다. 용이 삼촌이 출근하는 주말에는 아침부터 티코 사내가 집에 와서 밭일도 하고 집수리도 했다. 오히려 집안을 살피는 것은 티코 사내의 일처럼 보였다.

좀처럼 갈피를 잡을 수 없는 상황에서 희한한 일이 벌어졌다.

한 번도 담 밖으로 큰소리가 넘지 않았던 미옥이네 집에서 알아듣지 못하는 소리가 새어 나왔다. 다름 아닌 벙어리인 미옥이 할머니 소리였다.

“억억 억억.”

“어이 어이.”

소리만 높고 낮게 들릴 뿐 무슨 말인지 도무지 알 수 없었다.

그 일이 있고 한동안 티코 사내가 오는 일은 줄었지

만 오래가지는 못했다. 동네 사람들도 다툼 원인을 짐작했지만 오히려 괜한 불똥이 튈까 싶어 잠자코 있었다. 그런 일들이 있고 1년도 되지 않아 지금의 사태가 벌어진 것이다.

이제 미옥이네 식구는 용이 삼촌과 미옥이 엄마 그리고 티코 사내와 미옥이 네 명이 되었다. 미옥이는 아빠보다도 친한 큰아빠가 생겼고, 미옥이 엄마에게는 남편보다도 집안일을 잘하고 도와주는 큰아주버니가 생긴 것이며 용이 삼촌에게는 가족이 의지하는 든든한 형님이 계신 것이다. 그러나 미옥이가 말을 잘하면서부터 드러나지 않았던 집안 사정을 속속들이 알게 되었다.

하루는 빵빠레 아주머니가 집 앞에서 놀고 있는 미옥이를 꼬였다. 손가락에 마카로니 과자를 끼워주며 들마루에 앉혔다.

빵빠레 아주머니는 분이 누나 엄마이다. 입이 하도 가벼워서 동네 나팔수로 불렸다. 얼굴은 큰 데 키는 작달막하고 옆으로 쭉 찢어진 입에 똥똥한 체격이었다. 걸을 때면 엉덩이를 씰룩거리며 짧은 다리를 바삐 움

직이는데 보기만 해도 웃음이 났다.

더위를 피해 은행나무 밑에서 부채를 살살 부쳐주며 아주머니가 물었다.

“니, 어제 뭐 먹었노? 맛있는 냄새 나던데.”

“고기.”

“누가 사줬노?”

“큰아빠!”

“누구랑 먹었노?”

“엄마랑 큰아빠랑.”

빵빠레 아주머니가 입을 한번 씰룩하더니 미옥이 손가락에 과자를 더 끼워주면서 다시 물었다.

“아빠는 안 먹었나?”

“방에서 잤어. 피곤하다고.”

“큰아빠가 좋나? 아빠가 좋나?”

“음~ 큰 아빠!”

미옥이는 손가락에 낀 마카로니를 입으로 쏙 빼서 오물거리며 말했다.

“큰아빠가 왜 좋나?”

"동물원도 가고, 자장가도 불러주고…."

"큰아빠가 재워주나?"

"응! 엄마랑 같이 자는데."

"큰 아빠가?"

"응."

"아빠는 뭐 하는데?"

"아빠는 아빠 방에서 자!"

빵빠레 아주머니가 나를 힐끔 보더니 입술에 잔뜩 힘을 준 채 미옥이를 번쩍 안고 피했다.

더 이상 숨길 것도 없었다. 나중에는 티코 사내가 아예 미옥이네 집에서 먹고 자며 함께 지냈다. 옥상 빨랫줄에는 미옥이네 가족 옷과 사내의 옷이 뒤섞여 널려있었다.

용이 삼촌은 가끔이라도 더 이상 티코에 타지 않았다. 주로 자전거를 이용했고 때로는 그 먼 거리를 터벅터벅 걸어 다녔다. 때로는 냇가에 혼자 앉아 있기도 했는데 어떤 날은 연기가 피어올랐다. 담배를 전혀 피우지 않는 삼촌인데 새 습관이 생긴 듯 했다. 가뜩이나 말이 없는 사람이 인사를 해도 받는 둥 마는 둥 했다.

그리고 얼마 지나지 않아 미옥이 엄마와 티코 사내는 공장을 그만두었다. 그렇지만 용이 삼촌은 여전히 가구공장을 다녔다.

미옥이네 집에 대한 별의별 소문이 다 돌았다. 급기야 동네 아저씨들까지 삼촌 욕을 했다.

"용이가 등신이여! 등신 중에 상등신!"

"속도 없는 놈!"

"나 같으면 연놈을 요절내도 백번은 더 냈어."

"저것도 마누라라고 참!"

"용이가 좀 머리가 둔하잖어."

"저러다 집도 논도 다 뺏기지."

다들 흉보기에 급급했지만 정작 앞에서는 한마디도 하지 못했다. 그도 그럴 것이 미옥이네 집은 이제 동네에서 제법 큰소리를 낼 수 있는 부자가 되어있었다. 급전이 필요하거나 아쉬운 소리를 하려면 어쩔 수 없이 그 집에 사정해야 했기 때문이다.

모두가 알지만 모두가 침묵했다. 당사자인 용이 삼촌

이 잠자코 있으니 누가 먼저 나서랴. 기괴할 따름이었다. 또 한편에서는 미옥이 엄마를 옹호하는 목소리도 있었다. 빨래터든, 걸으면서든, 둘 이상만 모이면 남 얘기로 숙덕거렸다.

“용이가 장가는 잘 갔지. 그 주제에 어떻게 미옥이 엄마 같은 사람을 얻어!”

“쥐뿔도 없는 집에 와서 부자로 만들었는데 그 정도는 눈감아줘야지 뭐.”

“미옥이 엄마 말로는 티코 사내랑은 아무 관계도 아니라던데….”

“혹시, 재산 다 빼돌린 거 아녀?”

“아니랴. 미옥이 엄마 이름으로는 암것도 없대!

“다 오해랴.”

“참! 그 사내가 글쎄 총각이라며.”

“사내가 그랬대. 자식 하나 낳아달라고.”

“얼마 전 뽑은 미옥이 엄마 차도 사내가 사준 거 아녀?”

"인물값을 톡톡히 하는구먼.”

“범인지 개인지는 몰라도, 모질 때는 모질어도 인정

도 있고….”

“누가 뭐래도 난 사람이여. 난 사람!”

사람들 말은 자주 바뀌었다. 착하다가도 못됐다 하고, 좋다고 하다가도 나쁘다고 했다. 무언가 한바탕 퍼부을 것 같은 먹구름이 끼었다가도 언제 그랬냐는 듯 개는 하늘처럼 사람들 마음은 변덕스러운 날씨 같았다.

여하튼 미옥이네 희한한 동거는 내가 열아홉 살이 될 때까지 이어졌다.

내가 대학에 입학할 때 미옥이 엄마가 선물이라며 양복을 한 벌 맞춰주었다. 용이 삼촌도 손목시계를 선물해줬다. 나에겐 변함없이 잘해주었지만 내 마음은 어린 시절만큼 기쁘지 않았다. 그리고 미옥이가 사춘기에 들어설 때쯤 티고 사내는 더 이상 미옥이네 집에 오지 않았다.

그해. 우리 가족은 서울로 이사를 했다. 아버지는 홀로 계신 할머니를 모시고 함께 살기를 원하셨지만, 할머니는 사시던 김제 집에서 눈을 감으셨다. 다행히도 우리 가족은 할머니 임종을 지켜볼 수 있었다. 그 자리에는 외팔 할머니도 함께 계셨다.

그동안 외팔 할머니가 어떻게 지내는지 나는 알고 있었다. 매년 할머니 댁에 왔었기에 자주 뵈었다.

처음에는 우리 할머니 댁에 머물러 계셨지만 얼마 뒤 좋은 일이 생기셨다. 할머니가 계신 동네에서 제일 부자인 집으로 외팔 할머니가 식모로 들어가셨다. 부잣집 주인 영감 시중을 들던 아주머니가 돈을 훔쳐 도망가는 일이 발생한 것이다.

부잣집 영감 자손들은 모두 성공해서 서울에 살고 있었고, 주인 영감은 중풍으로 쓰러진 상태였다.

외팔 할머니는 자신이 부잣집 영감 병구완을 해보면 어떻겠냐며 할머니에게 주선을 부탁했고, 부잣집 자손들은 외팔인 할머니를 탐탁지 않게 여겼지만, 사람됨을 보증 선다며 나선 우리 할머니 덕분에 병시중을 맡게 되었다.

외팔 할머니가 얼마나 지극정성으로 보살폈는지 다행히도 부잣집 영감은 1년 만에 호전되었다. 말도하고 지팡이를 짚고 걷기까지 했다. 부잣집 영감은 외팔 할머니 덕분에 몸도 나아졌지만, 자신을 대하는 심성을 보았을 것이다.

하루는 부잣집 영감이 자신의 은인이라며 한평생 감추기에 급했던 외팔 할머니의 손목에 의수를 해주었다. 희고 뽀얀 새 손이었다. 또한 허드렛일 할 사람을 한 명 더 드리고 외팔 할머니에게는 내조만을 당부했다. 그렇게 6년을 더 사시고 부잣집 영감은 돌아가셨다. 유산으로 외팔 할머니에게 먹고 살 만큼 재산도 떼어주었고, 자손들에게는 외팔 할머니의 여생을 당부했다고 한다.

한 동네에서 외팔 할머니와 우리 할머니는 외롭지 않게 지내셨다. 할머니의 위독함을 알린 것도 외팔 할머니였다.

할머니가 돌아가시고 1년 후 외팔 할머니도 병원에서 돌아가셨다. 남인데도 불구하고 부잣집 자손들이 외팔 할머니를 살뜰히 살폈다고 한다.

아버지와 나는 외팔 할머니 장례식에 갔다. 초라할 거라는 예상과 달리 크고 좋은 화환들이 빈소 입구까지 빼곡히 세워져 있었다. 마치 대단한 분이 돌아가신 것처럼 조문객도 많았고, 상주도 여럿이서 경건하게 맞아주었다. 훤칠하고 말끔한 사람들이 이리저리 다니며 분주히 일을 도왔다. 조문객이 오히려 대우받는 느낌이었다. 꼭 외팔 할머니가 살아계실 때 남을 대한 것처럼….

그 자리에 용이 삼촌도 와있었다. 그런데 소리 내어 울지도 못하고 눈물만 뚝뚝 떨어뜨렸다.

외팔 할머니가 입원하고 계셨을 때 아버지께서 삼촌에게 연락을 했다고 한다. 그때 용이 삼촌이 병문안을 다녀갔는지는 알 수 없지만 오늘만큼은 쓸쓸하지 않은 화려한 장례식이었다.

할머니의 시간

“콰아아앙”

“슈웅”

“콰아아앙”

“슈웅”

꼭 전쟁이라도 난 것처럼 아침부터 비행기가 쉴 새 없이 날아갔다. 늦잠을 실컷 잘 수 있는 일요일인데 소음 때문에 짜증이 났다. 아무리 이불을 뒤집어써도 도저히 참을 수가 없다.

“또, 시작이네!”

“아이고, 지겨워!”

인상을 잔뜩 쓰며 아버지가 말씀하셨다.

“낼모레가 국군의 날이라 그런가 봐요.”

엄마가 달래듯 일러주었다.

매년 이맘때쯤이면 동네 하늘 위로 전투기가 날아다닌다. 국군의 날 행사 때문에 연습을 하는 것인데 며칠 동안은 죽을 맛이다. 이때는 우리 집 닭도 알을 안 난다. 심지어 성질 까칠한 황소도 얌전해진다. 일 년 중 제일 시끄럽고 심란한 때이다.

"민자 할머니는 괜찮데?"

"요즘 들어 더 나빠지는 것 같데요."

"어쩐데? 큰일이네."

"그러게요."

"노망 안 나는 것도 복인데 쯧쯧."

부모님이 민자 누나 할머니를 걱정했다. 얼마 전부터 치매 증상이 심해졌기 때문이다. 어쩔 때는 멀쩡히 집안 일도 하는데, 어느 날은 집도 헤매고 허공에 대고 혼잣말을 한다. 천둥이 치거나 큰 소리가 나면 증세는 더욱 악화되었다. 그럴 때면 나는 할머니가 무서워 슬쩍 피한다.

그런데 오늘은 아침부터 비행기가 요란하게 날아다니니 뭔 일이 일어나도 이상하지 않는 날이다. 아니나 다를까 짐작대로 해질녘에 민자 누나가 다급히 찾아왔다.

"아줌마 큰일 났어요!"

"무슨 일인데?"

"할머니가 없어졌어요."

"잉! 그게 무슨 소리야?"

"점심때까지 할머니가 집에 계셨는데 식구들이 밭일

하고 돌아와 보니 안계세요."

"아이고, 큰일이네. 빨리 서둘러야겠다."

엄마는 나보고 집집마다 다니며 얼른 어른들에게 알리라고 말했다. 그 말에 나는 숨이 차게 동네를 뛰어다녔다. 늦가을이라서 그런지 날은 금세 어두컴컴해졌다.

그쯤 들판에서 울먹이며 부르는 소리가 들렸다.

"어머니? 어머니?"

"엄니? 엄니?"

민자 누나네 부모님이 논에 쌓아놓은 볏짚을 헤집으며 할머니를 찾고 있었다.

민자 누나 할머니는 전쟁 때 피난 와서 이곳에 자리를 잡았다. 자식이 셋이었는데 피난길에 폭격을 맞아 두 명이 죽고, 막내인 민자 누나 아버지만 간신히 살았다고 한다. 그래서인지 유독 비행기 소리가 나면 깜짝깜짝 놀라곤 했는데 치매가 오면서 부쩍 심해지셨다.

할머니가 없어졌다는 소식이 온 동네 전해지자 민자 누나네 집으로 사람들이 모여들었다. 저마다 손전등을 하나씩 들고 본격적으로 찾아 나설 채비를 했다.

"나눠서들 다닙시다."

"태호네 하고 달복이네는 텃골 길로 가보고."

"용이네 하고 소라네는 약수터 뒷산 좀 봐주고."

"영태하고 찬순이네는 워남 집으로 해서 군인 다리 쪽으로 가 봐요."

"나머지는 삼년 바위 쪽으로 가봅시다."

아버지는 민자 누나 부모님과 함께 삼년 바위 쪽으로 향했다. 나는 날쌔게 아버지 뒤를 쫒아갔다. 엄마가 그쪽은 위험하다며 가지 말라고 불렀지만 못 들은 척 하고 그냥 따라갔다.

우리 집에서 동구 밖까지 나가면 커다란 신작로가 있다. 신작로 옆으로 시내가 흐르고 그 길을 따라 기차역 쪽으로 가다 보면 길과 붙어서 냇물까지 이어진 경사진 바위가 있는데 이곳이 삼년 바위이다.

장터나 기차역을 오가는 사람들이 많이 지나다니는 곳인데 길바닥이 평평한 바위다 보니 유난히 미끄러웠다. 그래서 자칫해 넘어지기라도 하면 냇가로 빠지는 사고가 종종 발생하는 곳이다. 민자 누나 아버지는 혹시나 길을 잃고 헤매다가 그곳에서 무슨 일이 생긴 것은 아닌지 걱정이 되어 일부러 그쪽으로 향했다.

집을 나선지 얼마 되지도 않았는데 날은 이미 어두웠다. 저마다 무리를 나누어 열심히 찾고 있었지만 길도 잘 보이지 않았다.

"할머니?"

"어머니?"

"엄니?"

"아주머니?"

"민자 할머니?"

"어르신?"

재 각기 할머니를 부르는 소리도 달랐다.

혹여 도랑에 빠졌나 싶어 도랑이란 도랑은 모조리 살펴보았다. 심지어 냇가 갈대숲까지 들어가 찾아보았지만 할머니의 흔적은 보이지 않았다. 오히려 버스럭버스럭 거리며 갈대 밟히는 소리가 더욱 무섭게 느껴졌다. 어둠이 짙어질수록 할머니를 찾는 불빛들이 사방에서 반짝였다.

누나는 할머니한테 잘해주지 못한 게 후회된다며 계

속 울었다. 나는 민자 누나 손을 꼭 잡아주었다.

우리는 어른들 사이에 묻혀서 무작정 따라가다가 영태 아저씨 무리와 만났다. 도깨비 터를 거쳐 군인다리 근처로 오는 길이었다고 한다.

"그쪽은 어때?"

"산 밑이라 깜깜해서 아예 보이지도 않아요."

"설마 이곳까지 왔겠어요?"

"이왕 여까지 왔으니까 나는 역까지 가볼겨. 먼저들 돌아가서 동네나 한 번 더 찾아봐줘."

영태 아저씨가 흔적을 찾을 수 없다고 말하자 민자 누나 아버지가 그만 동네로 돌아가라고 했다. 아버지는 아저씨하고 역에 같이 간다며 나보고 어른들 따라서 집에 가라고 말씀하셨다. 때마침 태호 아빠가 우리가 모여 있는 곳으로 급히 달려왔다.

"여기들 계셨네요. 빨리 가봐야겠어요."

"어디로?"

"텃골 넘어가는 데 있는 방죽 있잖아요?"

"방죽?"

순간 어른들 얼굴이 굳어졌다.

'설마 할머니가 방죽에….'

불길한 생각이 문득 들었다.

사람들은 서둘러 텃골 방죽으로 향했다. 아버지는 자꾸만 민자 누나하고 함께 집에 가라고 했지만 나는 돌아가지 않고 끝까지 따라갔다.

텃골은 우리 동네에서 맨 위쪽에 있는 곳이다. 다른 마을로 넘어가는 길목에 있는데 큰 산 아래여서 지대가 높다. 그래서 옛날부터 그곳엔 커다란 방죽이 있었다. 농사를 짓기 위해 물을 가둬놓은 저수지인데 냇물하고는 비교도 못할 만큼 수심이 깊었다. 사람들은 설마하면서도 걱정 가득한 얼굴이었다.

어른들 말이 요즘 들어서 할머니가 자주 보따리를 싼다고 했다. 무슨 짐을 싸냐고 물으면 이북 놈들이 쳐들어와서 빨리 피난을 가야한다고 말했다는 얘기다.

한번은 부엌 솥단지를 머리에 이고, 온몸이 검댕인 채 군인 다리까지 갔다가 동네 아주머니들과 마주쳐 돌아오기도 했다. 당시 조금만 늦었어도 아마 기차를 타고 어디론가 갔을지 모른다.

이번에는 집에 있는 베개하고 이불 소창이 없어졌다고 한다. 그것들을 왜 가지고 갔는지 알 수 없지만 어디다 흘렸다면 눈에 띌 가능성이 높았다.

방죽 근처에 오니 웅성거리는 소리가 들렸다. 횃불을 여러 개 만들어서 저수지를 훤하게 밝히고 있었다. 일부는 불빛이 닿지 않는 저수지 가운데를 향해 손전등을 어지럽게 비췄다.

그 모습을 보고

"아이고 엄니?"

"아이고 어째!"

"할머니! 할머니!"

하며 민자 누나네 식구들이 울면서 방죽 위로 기어 올라갔다.

"저기 봐. 저기!"

물 가운데 허연 게 둥둥 떠 있었다. 영락없이 사람이었다. 엄마는 보지 말라며 내 눈을 가렸지만 나는 손가락 사이를 비집고 물 위를 바라보았다.

"탈거라도 있어야 가보지?"

아저씨들이 저수지 가운데로 들어가려고 무언가를 분주히 찾았다.

그 순간

"엄니?"

하면서 민자 누나 아버지가 물속으로 뛰어들었다.

"아이고! 저걸 어째!"

"빨리 좀 말려요!"

"저러다 큰일 나것어!"

사람들이 소리쳤다.

둑 위는 한순간 아수라장이 되었다. 누구도 섣불리 방죽 안으로 들기가 쉽지 않았다. 밤도 깊고 어두워서 무척 위험했다. 그때 옆에 있던 태호 아빠가 잽싸게 물로 뛰어들었다.

"뭐라도 좀 가져와 봐요!"

"아저씨? 손잡아요!"

"저러다 다 죽겠네!"

"빨리 좀 어찌 해봐요!"

한쪽에서는 물에 빠져 허우적대고 한쪽에선 구하느라 소리쳤다. 어수선한 가운데 민자 누나 아버지가 갖갖으로 둑으로 끌려나왔다.

"줄초상 치룰려고 그랴?"

"진정 좀 해요!"

아저씨를 채근하며 아줌마가 울부짖었다.

그 사이 아버지는 방죽에서 제일 가까운 집에 가서 새끼줄 한 타래와 고무대야를 가져왔다. 저수지 안으로 들어갈 모양이었다.

"이왕 물에 빠졌으니 제가 할게요!"

"그래도 제가 수영이 젤 나아요."

"다들 옆으로 물러나세요!"

이번에도 태호 아빠가 나섰다. 본인이 하겠다고 용감하게 자청했다. 아저씨는 새끼줄을 허리에 묶고 고무대야를 물 위에 엎어 놓은 뒤, 두 팔로 양 옆을 잡고 방죽 안으로 서서히 들어갔다.

사람들은 마음 졸이며 횃불과 손전등으로 잇따라 물 위를 비춰주었다.

가을걷이가 끝나서 날씨가 몹시 추웠다. 물속은 얼음장같이 차가운데 걱정이 되었다. 모두가 숨죽여 바라볼 뿐 아무 말도 하지 않았다.

태호 아빠는 뒷발로 물을 차며 천천히 저수지 한 가운데로 향했다.

잠시 후 소리가 들렸다.

“사람이 아녀요!”

“할머니 아녀?”

“아녜요!”

“사람이 아녀?”

“예!”

“알았네! 알았어!”

“힘쓰지 말고 있어. 줄 당길 테니까.”

어른들이 물먹은 새끼줄이 끊어질까 봐 조심조심 끌어당겼다.

태호 아빠가 오들오들 떨면서 방죽 위로 올라왔다. 그리고 물 위에 떠 있던 것을 건져내어 보여주었는데 허수아비였다. 방죽 옆 옥수수 밭에 엉성하게 세워뒀던

허수아비가 바람에 날렸는지 물에 빠진 것이다. 밤이라서 그런지 멀리서 보면 꼭 사람 같았다.

방금 전까지 초상집 같았던 방죽 위가 안도하는 분위기였다. 하지만 다들 말은 안 해도 여전히 물속을 의심스러워했다.

산 밑이라서 기온이 더 뚝 떨어졌다. 태호 아빠는 시퍼런 입술을 부르르 떨며 한기를 참고 있었다. 그 모습에 사람들이 안타깝지만 밤도 깊었으니 이만하고 내일 다시 찾자고 했다.

그 말에 일부 사람들은 집으로 돌아가고 몇몇 사람들은 민자 누나네 집으로 몰려갔다.

나는 부모님을 따라 누나네 집으로 왔다.

모두가 마음이 심란한데 하필 묶어 놓았던 바둑이도 목줄이 풀린 채 돌아다니고 있었다. 할머니가 정신이 없어도 끼니때마다 바둑이 밥은 챙겨주었는데 오늘은 그러지 못한 듯했다.

민자 누나가 찬밥을 개 밥그릇에 쏟아주자 이놈이 밥은 안 먹고 할머니 신발 한쪽을 물고 쪼르르 도망갔다. 아무래도 할머니가 없어서 이놈도 이상했나 보다.

나는 목줄을 들고 바둑이를 묶으려고 따라갔는데 이놈이 뒤뜰 대나무 숲으로 쏙 들어갔다. 컴컴한 대나무 숲은 금방이라도 귀신이 나올 것만 같았다. 순간 머리카락이 쭈뼛하며 무서워서 엄마한테 잽싸게 달려와 안겼다.

민자 누나는 밥도 안 먹고 도망간 바둑이 때문에 화가 났는지 씩씩거리며 나대신 뒤뜰로 갔다.

"아부지? 아부지?"

"빨리 좀 와 봐요?"

"여기, 뭐가 있는 거 같아요?"

누나가 아저씨를 급하게 불렀다. 그 소리에 아저씨와 아버지가 지체할 겨를도 없이 재빨리 뒤뜰로 뛰어갔다.

"저기요. 저기!"

누나가 가리키는 쪽을 향해 아저씨가 손전등을 비추며 조심스럽게 들어갔다.

잠시 후

"허유!"

큰 한숨 소리가 났다.

"여기 좀 와 봐요."

아저씨가 아버지를 불렀다.

거미줄과 가시풀이 얼키설키한 사이를 뚫고 들어가 보니 바싹 마른 대나무 잎이 깔린 자리에 할머니가 잔뜩 오그린 채 누워있었다.

사람들이 찾느라고 그 난리를 쳤는데도 불구하고 할머니는 아무것도 모르는 듯 깊은 잠에 빠져있었다. 할머니는 신발도 신지 않는 맨발이었다. 그나마 바둑이가 신발 한 짝을 물어다 주는 바람에 찾을 수 있었다.

그곳에는 집에서 가져간 베개고 이불이며 소창까지 있었다. 무명소창으로는 포대기를 만들어서 마치 아기를 업듯 베개 하나를 등에 묶고, 두 팔은 앞에 있는 베개를 꼭 끌어안고 있었다.

할머니의 시간은 다시 옛날로 되돌아갔다. 아직도 전쟁을 피해 어린 자식들과 피난을 가고 있었다.

건빵 한 봉지

학교에서 돌아오니까 마당 한 쪽에 고물이 쌓여있었다. 이게 무슨 일인가 싶어 엄마에게 물어보니, 윗동네 석구 형이 고물 장사를 한다고 해서 마당을 빌려주었다고 한다.

석구 형은 열아홉 살인데 학교에 다니지 않는다. 2년 전 집에 불이 나서 어머니마저 잃고 혼자가 되었다. 하지만 지금 씩씩하게 이겨내고 있다.

형은 가수가 꿈이다. 노래도 잘하고 얼굴도 잘생겨서 꼭 탤런트 같다. 형이 기타를 치며 노래를 부를 때면 '와' 소리가 절로 나온다. 동네 몇몇 어른은 그 모습을 못마땅한 눈으로 보곤 했지만 형은 그다지 신경 쓰지 않았다.

형이 말하기를 가수가 되려면 서울로 가야 한다고 했다. 필요한 것은 돈인데 고물 장사를 시작한 이유도 이것 때문이다. 그러나 사람들이 잘 모르는 사실이 있다. 서울에 가려면 5리쯤 떨어진 역에서 기차를 타야 하는 데 형은 그것을 몹시 겁낸다. 왜냐하면 어린 시절 겪은 안 좋은 경험 때문이다.

형이 다섯 살 때쯤이었다. 외갓집이 전라남도 '곡성'이라서 엄마를 따라 종종 가곤 했다. 당시만 해도 비포장 신작로가 많던 시절이라 버스도 드물었다. 더욱이 내가 살던 시골동네는 버스가 아예 다니지도 않았다. 학교를 가더라도 한 시간은 족히 넘게 걸어야 했다. 그나마 유일한 교통수단은 기차였는데 석구 형 엄마는 차멀미가 하도 심해서 기차를 타기만 하면 구토하고 정신을 못 차렸다. 그래서 미리 '맥소롱' 멀미약을 마시고 타는 데 문제는 약을 먹으면 금세 잠이 든다. 이러다 보니 막상 내려야 할 역을 종종 지나치기 일쑤였다. 할 수 없이 석구 형 엄마는 어디를 갈 때면 어린 형을 앞세웠다.

형은 머리가 좋다. 눈에서는 반짝반짝 빛이 난다. 학교도 가지전에 집에서 한글을 깨우칠 정도였다. 뭐든지 한번 가르쳐주면 잊어버리지도 않는다. 막 글을 깨우치고 처음 기차를 탈 때였다. 열차에 앉자마자 석구 형 엄마가 건빵 한 봉지를 주면서 이렇게 말했다고 한다.

"석구야! 밖을 잘 봐야 해. 기차가 역을 지날 때마다 다음 역이 어디인지 팻말에 써있을 거야. 그러니까 건빵 먹으면서 자지 말고 '곡성'이라고 글자가 보이면 엄마를 얼른 깨워. 알았지? 모르고 지나치면 큰일 나. 할 수 있지?"

하고 잠이 들었다.

형은 건빵을 입에 물고 졸음을 참으면서 창밖을 뚫어지게 바라보았다. 한 눈을 팔지 않으려고 목이 메도 물을 먹지 않았다. 다섯 살짜리에게 그 일은 무척이나 힘든 일이다. 빨간 토끼 눈을 해가면서 지나치는 역마다 '곡성'이라는 글자가 보이는지 혹시 못 본 것은 아닌지 도착할 때까지 긴 시간을 가슴 졸였다고 한다.

석구 형은 매번 기차를 탈 때마다 건빵 한 봉지를 먹으며 그 일을 반복했다. 더 이상 기차를 타는 것이 즐겁지 않았다. 긴장의 연속이었다. 그러다보니 언제부터인가 기차를 타면 심장이 벌렁벌렁 거리고 식은땀이 나면서 두렵고 무서워졌다고 한다. 그런데 그 먼 서울을 간다고 하니 나는 은근히 걱정되었다.

여하튼 형이 우리 집 마당에 고물상을 차리고부터

제일 좋아한 사람은 나였다. 마당에 쌓아놓은 고물은 최고의 보물이며 놀이터였다.

나는 새 고물이 들어올 때마다 두영이랑 태호를 불렀다.

"자! 봐봐. 저거 보이지?"

"와! 진짜네. 부럽다."

"저거 갖고 놀아도 돼?"

"당연하지! 뭐 할까?"

태호는 1학년이고 두영이는 나랑 같은 2학년이다. 두영이는 두발자전거를 타고 싶어 했다. 나도 자전거는 있지만 너무 어렸을 때 타던 세발자전거라서 어차피 타지도 못하는 고물이었다. 그래서 우리는 높이 쌓인 고물을 뒤져가며 부서진 자전거라도 있는지 한참을 찾았다.

"이리 와 봐. 여기 있어."

두영이가 말해서 가보니 고물 더미 맨 밑바닥에 자전거 두 대가 깔려있었다. 저것을 고치면 한 대는 만들 수 있겠다는 생각이 들었다. 우리는 자전거를 빼내려고 힘껏 잡아당겨 보았지만 꿈쩍도 하지 않았다.

나는 궁리 끝에 두영이 하고 고물이 쌓인 꼭대기로

올라가서 다른 고물들을 밑으로 던졌다. 한참을 그렇게 하니 마침내 맨 밑에 깔려있던 자전거를 꺼낼 수 있었는데, 어느덧 마당은 고물 밭이 되었다. 그런데 하필이면 그 모습을 아버지가 보고 말았다.

우리는 혼날까 봐 재빨리 도망쳤다. 그때 나는 뾰족이 튀어나온 쇠못에 오른쪽 발바닥을 찔렸다. 따끔거리고 피가 쪼금 나기는 했지만 참을만했다.

저녁때가 되니까 석구 형이 고물을 한 수레 또 싣고 왔다. 아버지가 나름 치웠는데도 불구하고 고물은 여전히 마당에 널브러져있었다. 그 모습에 형이 한숨을 푹 쉬었다.

"어휴. 누가 이랬어?"

나는 이미 아버지께 혼이 난 터라 솔직히 말했다.

"미안해 형. 내가 자전거 꺼내서 놀려다가 그랬어."

"이리 와 봐!"

형은 다른 말을 하지 않고 나를 불렀다. 내가 우물쭈물하면서 다가갔더니 두 손으로 내 허리춤을 잡고 번쩍 들었다. 평소 같았으면 기분이 좋았을 텐데 풀이 죽은 모습을 보더니 바로 마루에 내려놓았다.

"엄니? 이리로 와보셔요!"

석구 형이 엄마까지 부르는 걸 보니 나는 또 죽었구나 싶어 울음이 터지기 일보직전이었다. 그런데 형이 갑자기 무언가를 주섬주섬 앞에 꺼내놓았다.

"빨랫비누예요. 이건 고무줄이고요. 두고 쓰세요. 그리고 이건 엿하고 건빵인데 광에 보관 좀 할게요."

형은 난데없이 생필품을 앞에 내놓더니 엄마한테 쓰라고 했다. 엄마는 손사래를 치면서 고물 값으로 주라며 내놓지 말라고 사양했지만

"괜찮아요! 그냥 쓰세요. 안 그러면 제가 더 미안해요."

하면서 기어코 안겨주었다.

형은 내게도 무언가를 한 봉지 주었다.

"너는 이거 먹어. 다 먹으면 형이 또 줄게."

그것은 갱엿보다 훨씬 맛있는 달팽이 엿이었다. 내 손바닥 반 크기인데 둥글고 납작하다. 흰색에 가운데부터 검은색으로 빙글빙글 달팽이처럼 동그라미 무늬가 그려져 있는데 딱딱하지도 않고 말랑말랑한 것이 정말 맛있다.

"애들하고 고물 가지고 노는 것은 괜찮어. 근데 함부

로 만지다가 쇠붙이에 찔릴까 봐 그려. 그니까 조심하고 알았지?"

"응"

나는 눈물이 핑 돌았다. 그리고 약속했다. 고물을 함부로 헤집지 않기로. 대신 형에게 필요한 것을 말하면 모두 만들어 준다고 했다.

아니나 다를까 그날 밤 문제가 생겼다. 못에 찔린 발이 퉁퉁 붓고 쑤시기 시작하더니 열이 올라서 끙끙 앓았다. 혼날까 봐 꾹 참고 있었는데 엄마가 새벽녘에 내 다리를 보고 난리가 났다.

"못에 찔렸으면 바로 얘기해야지!"

"이걸 어째. 큰일 났네."

날이 밝자 열이 더 심하게 올라서 나는 엄마 등에 업혀 보건소에 갔다. 의사 선생님은 찔린 곳이 심각하다며 엉덩이에 주사를 놔주고 큰 병원으로 가라고 했다. 엄마는 걱정이 가득한 얼굴이었다. 파상풍 같다고 했는데 엄청 위험한 것이라고 한다.

나는 며칠간 큰 병원에서 치료받고 퇴원했지만, 그

뒤로 한동안 다리를 절룩거리며 잘 걷지도 못했다. 시간이 오래 지나서 정상으로 돌아왔지만, 마당에 있는 고물 근처에 가면 엄마한테 혼났다.

형은 고물 장사를 오래 하지는 않았다. 1년 정도 했는데 무척이나 잘되었다. 마당에 고물이 가득 차면 큰 차가 와서 실어 가기를 여러 번 했다.

이듬해 여름 석구 형은 고물상을 그만두면서 자전거 세 대를 놓고 갔다. 고장 난 자전거를 모아 두었다가 새 것처럼 고쳐서 나하고 태호, 두영이한테 한 대씩 타도록 주었다. 그리고 며칠 후, 말끔하게 차려입고 우리 집에 찾아왔다. 서울로 가는 길이라며 인사를 온 것이다.

엄마는 형 손에 용돈을 쥐여 주었다.

"객지 가서 밥 굶지 말고, 몸조심하고 힘들면 언제든지 내려와. 알았지?"

형은 괜찮다며 거절했지만 엄마는 호주머니에 억지로 쑤셔 넣었다. 그러자 석구 형이 끝내 눈물을 흘리며 큰절을 했다.

나는 역으로 가는 신작로 입구까지 형을 졸졸 따라 갔다.

"형? 서울 가면 언제 와?"

"글쎄."

"근데, 노래는 언제 가르쳐 줄 거야?"

"아. 그래! 깜박했다."

석구 형은 미안하다며 지금 가면서 알려주겠다고 말했다.

"너무 지나지 않은 향기를 담고…."

"너무 지나지 않은 향기를 담고…."

형과 나는 걷다 서다하며 신작로에 다다를 때까지 노래를 함께 불렀다. 결코 긴 시간은 아니었지만 나에게는 오래도록 기억될 정경이었다. 형이 동구 밖에 이르러 내 볼을 쓰다듬더니 가방 깊숙이서 건빵 한 봉지를 꺼내주었다.

"이거 먹어."

"형 먹을 거 아냐?"

"아냐. 형은 이제 건빵 싫어!"

"왜?"

"그냥. 싫어졌어."

"진짜루?"

"응, 너 먹어."

석구 형은 그렇게 낡은 기타를 둘러메고 미루나무 길을

따라 기차역으로 향했다. 그때 나는 보았다. 형 눈 속에 눈물이 고여 있는 것을 그리고 건빵이 싫어졌다며 마지막 한 봉지를 내게 준 이유도 알 것 같았다.

내 나이 열 살 여름이었다.

『 맺음말 - 자화상 』

가고 싶은 곳이 있고

가고 싶은 때가 있다면

기억 어딘가를 되짚어보라

그리운 사람

그리운 시절

그리운 곳이 거기에 있으리라

어제란 이미 그려진 풍경화 같고

내일은 알 수 없는 추상화일 뿐

삶이란 그리워질 나를 그려가는 수채화 같다.

세 번째 인생 / 조승훈